LE CHANGEMENT PLANIFIÉ

7e impression 1990

Dépôt légal: 4ième trimestre 1982
Bibliothèque Nationale du Canada
Bibliothèque Nationale du Québec

ISBN: 2-89022-045-1

LE CHANGEMENT PLANIFIÉ

Une approche pour intervenir dans les systèmes organisationnels

(1982)

PIERRE COLLERETTE

GILLES DELISLE

Éditions Agence d'ARC inc.
L'ÉDITEUR DES PME

8023, rue Jarry est, Montréal (Québec) H1J 1H6
(514) 493-3958

Cet ouvrage n'aurait jamais vu le jour si nous n'avions connu un jour ou l'autre, à titre de professeurs, conseillers ou amis, Roger Tessier, Yves St-Arnaud, Jean Gagnon, Jean-Jacques Noreau. Bien que nous n'ayions pas eu recours à leurs conseils durant la rédaction de ce document, c'est néanmoins avec leur inspiration que nous avons travaillé.

Nous devons également des remerciements à Mario Roy, Robert Schneider et Pierre-Marie Cotte qui, par leurs critiques et leurs suggestions, nous ont aidés à améliorer le contenu et la présentation du volume.

Enfin, nous tenons à exprimer notre gratitude à Marianne Sabourin et Marie Wiseman qui, avec leur patience et leur gentillesse habituelles, ont dactylographié les différentes versions du manuscrit.

Pierre COLLERETTE
Gilles DELISLE

Dans la même collection (I/O)

Comprendre l'organisation — approches de recherche (1982)
Yvan Bordeleau, Luc Brunet, Robert R. Haccoun, André-Jean Rigny, André Savoie - Université de Montréal

Diagnostic organisationnel — cas vécus (1982)
André-Jean Rigny - Université de Montréal

Conception graphique de la couverture:
Jean-Pierre St-Laurent

AGENCE T.L. INC. MONTRÉAL

Photocomposition et supervision:
Linda Bisson

Mise en page:
Jean-Claude Paré

Table des matières

Liste des figures

Préface

Que peut bien attendre de cet ouvrage, « **Le Changement Planifié** *: une approche pour intervenir dans les systèmes organisationnels» le lecteur qui entreprend de le parcourir en trouvant la prose hasardeuse d'un trop bref avant-propos? Mais d'abord, qui est ce lecteur? Si j'ai bien saisi les intentions des auteurs et de l'éditeur, un public lecteur particulier est visé. Ce public serait surtout constitué de personnes d'action, cadres d'entreprises, consultants internes et externes, militants. De par leurs fonctions mêmes, ces personnes sont sans doute soucieuses d'atteindre à une certaine efficacité dans la gestion de nombreux processus de régulation. En effet, le changement planifié démocratique avec ses diverses variantes, ne fait qu'un parmi plusieurs processus de prise de décision impliqués dans le développement des sociétés démocratiques modernes, compte tenu que l'un des traits qui caractérisent au plus haut point ces sociétés, semble être une nette propension à substituer le plus possible des rapports sociaux négociés à des rapports sociaux contrôlés autoritairement.*

Depuis que Kurt Lewin a libéré la psychosociologie des cadres trop restreints du laboratoire expérientiel classique, héritée de la psychophysique et de la phychophysiologie du XIXe siècle peu de courants scientifiques dans le domaine des sciences humaines ont été aussi soucieux des possibilités offertes par l'exploration du savoir scientifique aux fins de la transformation des sociétés. Trente ans après la naissance de la recherche-action, la mise en rapport des priorités socio-politiques, demeure une préoccupation majeure des héritiers directs du mouvement des Relations Humaines. On témoigne très heureusement, le rigoureux apport d'un Chris Argyris, qui, sous le vocable science-action, tente d'approfondir les relations épistémologiques et pragmatiques entre le processus naturel de Résolution de problème, sur lequel repose la fonction adaptative de la conduite sociale et le double processus de la construction et de la diffusion du savoir scientifique.

Étant donné que la psychosociologie s'est préoccupée du **changement planifié** *depuis maintenant presque quarante décennies, ceci rend possible maintenant une approche de ce phénomène complexe, au sens où elle exprime, dans ses modèles et ses stratégies, un point de vue théorique et une idéologie relativement* *cohérente. Les idées théoriques et les applications pratiques présentées dans les pages qui suivent, constituent une approche, en ce sens qu'elles représentent les systèmes sociaux et le processus d'intervention à partir d'un ensemble de postulats plus ou moins explicites: (tels: le tout englobe les parties différentes et diffère de leur somme; l'acteur social ne perd pas toute liberté en participant aux systèmes sociaux; les attitudes individuelles sont ancrées socialement et correspondent à des normes de groupes variés; l'exercice démocratique de l'autorité est possible même à l'intérieur des bureaucraties, mieux il est souhaitable, etc.).*

Il serait, par ailleurs tout à fait exagéré de prétendre que la psychosociologie offre aux acteurs sociaux, du simple citoyen aux détenteurs de l'autorité institutionnelle, une théorie scientifiquement fondée du processus de la planification démocratique. Plusieurs éléments d'une telle théorie existent déjà, et pour peu que les tendances vers la synthèse l'emportent sur les cloisonnements entre les nombreuses spécificités et pratiques, on peut espérer avec réalisme qu'une théorie explicative assez stricte, est à la portée des équipes de chercheurs qui réfléchissent à une telle question, en Europe et en Amérique.

Mais d'ores et déjà, les notions mises en place, les procédures et technologies utilisées par les praticiens, constituent un «corpus» riche et nuancé, auquel le travail de Pierre Collerette et de Gilles Delisle rend justice, en lui apportant la très heureuse touche personnelle du pédagogue et du consultant organisationnel. Le texte est écrit dans une langue simple et directe qui sied tout à fait bien aux tentatives de dialogue qui veut dépasser les jargons, ceux de la psychologie et de la sociologie, bien sûr, mais ceux également impliqués par la nette tendance à l'ésotérisme des vocabulaires en usage dans la bureaucratie et le monde des affaires. La démarche des auteurs, comme de leur éditeur, s'anime à la croyance, que je partage, que l'intelligence n'a pas de frontières, que les préjugés dûment confrontés, cèdent la place à une saisie plus riche de la réalité elle-même!

Roger TESSIER

Module de la psychosociologie de la communication

Département des Communications, UQAM

INTRODUCTION

Introduction

Le présent volume veut offrir aux lecteurs une vision synthétique et pratique de ce qu'est le changement planifié. Deux motivations nous ont amenés à écrire un tel ouvrage. Premièrement, notre société depuis plusieurs années fourmille de personnes, de groupes, d'organismes qui à divers titres et à différents niveaux tentent d'introduire des changements. En fait, nous vivons dans un monde qui nous expose presque quotidiennement à toutes sortes d'intentions de changement, que ce soit au plan technologique, social, politique, structural, personnel. Hélas, de nombreuses observations tirées de notre pratique comme intervenants, nous ont amenés à constater que trop souvent les gens qui conduisent de telles entreprises de changement sont malhabiles à le faire à divers égards. Aussi, avons-nous voulu produire un outil qui puisse venir en aide à ceux qui se sont donnés ou se sont fait donner des mandats de changement, ne serait-ce que pour éviter à nos concitoyens d'être les victimes malheureuses de ces tentatives. Deuxièmement, notre expérience de l'enseignement en milieu universitaire nous a fait constater la rareté des écrits en français sur le thème du changement planifié. Si on peut recenser un bon nombre d'écrits sur les types de changements à introduire dans notre société, on trouve cependant peu de matériel sur la phénoménologie du changement et les méthodologies à utiliser. Nous avons donc voulu produire un outil en français qui puisse servir de référence à ceux qui s'intéressent au changément dans les systèmes organisationnels, quels qu'ils soient.

Par son intention et sa conception, ce volume se définit d'abord et avant tout comme une introduction aux concepts et à la pratique du changement, par opposition à un discours qui porterait sur les changements qui seraient souhaitables dans un système donné. D'ailleurs, notre expertise et nos expériences nous préparent mieux à orienter notre effort dans cette direction. Nous avons préféré laisser à d'autres, mieux préparés à cette fin, le soin d'articuler un discours à caractère idéologique ou politique sur les changements à privilégier dans les divers types d'organisations.

Dans cet esprit, les pages qui suivent tenteront d'éclairer le lecteur sur les différents processus qui se produisent lorsqu'on tente d'introduire des changements à l'intérieur d'un système organisationnel. L'attention ne sera donc pas portée vers les contenus des différents projets de changement mais plutôt sur les mécanismes ou les phénomènes qui risquent d'émerger dans toute situation où on tentera d'introduire un changement, ce qui nous amènera à présenter des méthodologies aptes à faciliter le changement.

Il faut bien noter que notre intention n'est pas de présenter des techniques-miracles sur le changement. Nous sommes convaincus qu'il n'existe pas de technique qui, à priori, soit bonne ou mauvaise ou qui automatiquement conduise au succès. Toute technique doit être choisie et aménagée en fonction des différentes analyses qu'on fera d'une situation. Par conséquent, il serait illusoire de vouloir présenter une suite de techniques qui s'apparenteraient davantage à la recette miracle. Par ailleurs, nous souhaitons réussir à outiller le lecteur d'un modèle d'analyse qui lui permettra de devenir plus habile à concevoir, préparer et exécuter des interventions de changements qui soient à la fois satisfaisantes et efficaces.

La vision sur laquelle nous nous sommes appuyés tout au long de notre démarche est celle de la phychosociologie d'inspiration notamment nord-américaine. Cette approche a ceci de particulier, qu'elle essaie d'isoler et de décrire les phénomènes psychologiques et sociaux qui se manifestent dans les groupes, quels que soient les contenus idéologiques en cause.

C'est sous l'influence de cette approche que nous utilisons souvent dans le texte l'expression «système social» comme synonyme de système organisationnel pour désigner les environnements ou les groupes de personnes touchés par des projets de changement. Provisoirement, nous nous contenterons de dire qu'un système social est un ensemble de personnes qui partagent un minimum de liens interractionnels, d'une intensité et d'une durée suffisantes pour que se développe une dynamique relationnelle observable. Posé de cette façon, il apparaît que les divers types d'organisations qu'on retrouve dans notre environnement constituent des systèmes sociaux. Une définition plus rigoureuse sera proposée au chapitre I.

Cette formulation est large et c'est volontairement qu'elle l'est. Elle peut ainsi mieux embrasser les divers types d'organisations à l'intérieur desquelles on peut étudier les mécanismes et les effets de changements systématiques. Il peut alors s'agir autant d'entreprises privées, d'organismes publics que d'associations volontaires.

Profitons-en aussi pour clarifier immédiatement une autre expression qui sera souvent utilisée dans le reste du texte, celle «d'agent de changement». Par «agent de changement» nous entendons toute personne qui délibérément pose des gestes dans un environnement en vue d'y introduire un changement éventuel.

En résumé, ce volume se veut à la fois un guide méthodologique et une source d'information pour celui qui s'intéresse au changement: un guide méthodologique en ce sens qu'il présente des instruments permettant d'élaborer des scénarios de changement, une source d'information en ce sens qu'il fournit un mode de compréhension de la phénoménologie du changement dans les systèmes sociaux.

Enfin, en guise d'aide-mémoire et de guide méthodologique, la plupart des chapitres sont accompagnés de quelques questions susceptibles d'aider le lecteur à faire un usage pratique du matériel présenté.

CHAPITRE I

L'ANALYSE SYSTÉMIQUE

L'analyse systémique

Les agents de changement sont appelés à intervenir auprès d'individus, de groupes, d'organisations. Bien que chacune de ces entités soit de taille différente et appelle souvent des modalités d'intervention différentes, il serait avantageux de disposer d'une grille d'analyse qui soit généralisable, de telle sorte qu'elle puisse s'appliquer aussi bien à un individu qu'à un groupe, une organisation ou une petite collectivité.

Pour qu'un modèle puisse s'appliquer à des ordres de grandeur aussi éloignés les uns des autres, il faudrait qu'il soit d'un niveau d'abstraction relativement élevé. Le caractère abstrait de ce modèle constituerait à la fois sa force et sa faiblesse. Sa force serait de nous permettre d'utiliser la même grille et donc de pouvoir nous familiariser avec elle afin de comprendre la dynamique interne et externe de ces cibles d'intervention. Sa faiblesse résiderait dans le fait que le modèle nécessiterait beaucoup de traductions, beaucoup de gymnastique mentale pour nous permettre d'accéder au niveau concret de l'action. C'est le cas de l'analyse systémique.

L'analyse systémique nous vient des sciences pures et a commencé à être utilisée en sciences sociales il y a quelques années[1]. Il s'agit d'un modèle théorique d'une complexité inouïe. Aux fins de notre utilisation, nous réduirons ces concepts à leur plus simple expression.

Il ne s'agit pas pour nous d'utiliser l'analyse systémique comme instrument de diagnostic appliqué ; il s'agit plutôt de développer chez l'agent de changement un type de radar systémique qui lui ferait

---

[1] Le sociologue américain, Talcot Parson a été l'un des premiers à utiliser l'analyse systémique en sciences sociales. Pour plus de détails, cf. « Talcot Parsons et la sociologie américaine » de Guy Rocher, P.U.F. 1972.

appréhender spontanément les interactions dynamiques à l'intérieur du système sur lequel il agit, ainsi que les principaux mécanismes en cours tout au long de l'intervention.

Nous proposons donc de recourir au modèle systémique à titre de grille de référence qui nous permettra d'entretenir une perception cohérente des environnements à l'intérieur desquels nous agissons.

1.1 Le système et les sous-systèmes

Dans les conversations quotidiennes on est habitué d'entendre le mot « système » appliqué à toutes sortes d'objets et de situations. Pour notre part, nous définissons le système comme étant « un ensemble plus ou moins complexe de parties qui sont en interaction entre elles, lequel ensemble est en contact avec un environnement ».

Le système est une notion abstraite qui permet de cerner une partie de la réalité pour mieux la comprendre. La notion de système peut s'appliquer autant à des objets abstraits que concrets. Un exemple d'application à un objet concret serait de considérer un groupe de personnes comme un système (système-groupe). Un exemple d'application à une réalité abstraite serait de considérer le climat dans une organisation comme système (système-climat).

Notons que le découpage de la réalité en systèmes constitue une opération arbitraire, exécutée par celui qui s'intéresse à cette réalité. Ainsi, on ne peut pas dire que tel élément du réel est un système. Cependant, un observateur donné peut décider de considérer cet élément comme un système pour en faciliter l'étude.

Les différentes parties d'un système constituent à leur tour des systèmes, qu'on appelera des « sous-systèmes ». De la même façon, le système étudié constitue probablement un sous-système d'un système plus vaste. Ainsi, chaque système serait sous-système d'un système plus vaste et en même temps engloberait un certain nombre de sous-systèmes, qui eux-mêmes contiendraient d'autres sous-systèmes, et ainsi de suite en allant vers le microscopique ou le macroscopique (figure 1.1).

Le corps humain présente un merveilleux exemple de système. Si on considère le corps comme un système, on reconnaîtra rapidement qu'il constitue un sous-système du système humain qui à son tour s'inscrit dans le système animal. Dans l'autre direction, le corps est composé de plusieurs sous-systèmes biologiques qui sont les systèmes respiratoires, sanguins, musculaires, etc. Chacun de ceux-ci contient d'autres sous-systèmes comme par exemple les poumons, la trachée, etc, en allant jusqu'aux micro-organismes. Ici on a considéré le corps humain comme système biologique. On aurait pu faire des opérations analogues en le considérant comme système psychologique, ou comme système socio-culturel. Le type d'opération serait resté le même, ce sont les sous-systèmes qui auraient changé.

FIGURE 1.1

Représentation symbolique d'un système et des sous-systèmes

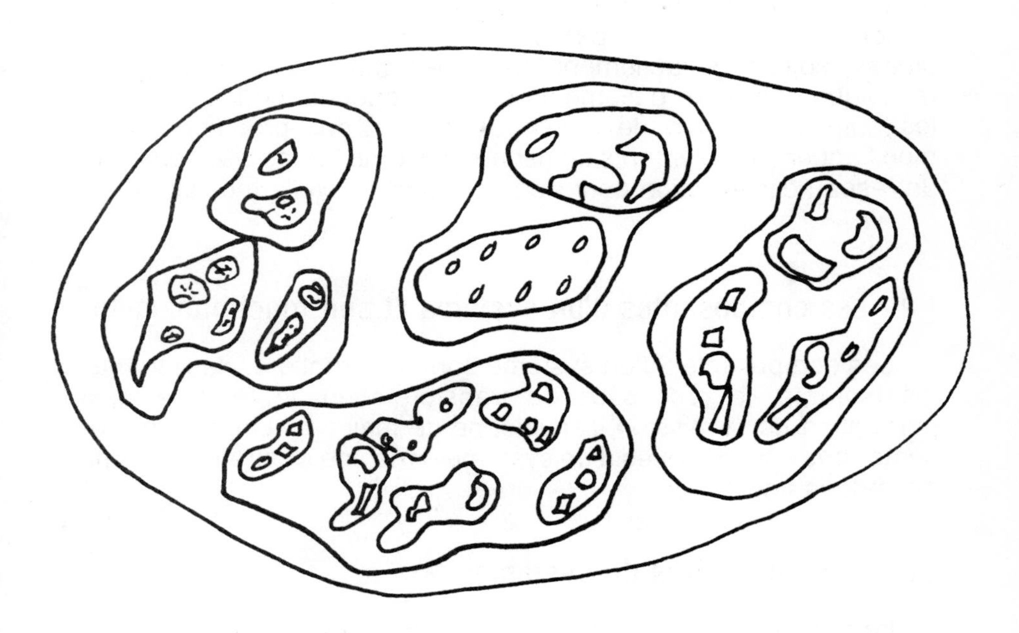

Dans la définition présentée précédemment, il a été dit que les différentes parties (sous-systèmes) d'un système sont en relation entre elles. C'est là un aspect important de la théorie des systèmes. En effet, on considère que les sous-systèmes d'un système donné sont en interaction entre eux et par conséquent s'influencent mutuellement. Le système n'illustre donc pas une réalité statique mais dynamique, comme c'est le cas du corps humain. On appellera «effets systémiques» les effets de ces influences mutuelles. On appellera «liens systémiques», les rapports entre les différents sous-systèmes et selon la qualité de ces rapports, on jugera de la force des liens systémiques. Par exemple, on sait que dans le corps humain les liens systémiques entre les systèmes circulatoires et musculaires sont assez forts, alors qu'ils sont assez faibles entre les systèmes respiratoires et osseux.

En somme, le modèle systémique nous permet d'aborder la réalité sociale en la considérant comme un système et ainsi de demeurer conscient que le système social, en plus d'être une scène dynamique, doit être considéré comme étant composé d'une foule d'éléments. Pour celui qui s'intéresse au changement, le modèle systémique l'oblige à ne pas percevoir les situations comme des pièces isolées et facilement maniables mais bien comme une mosaïque complexe d'éléments en interdépendance les uns avec les autres. Par voie de conséquence, on doit présumer qu'en modifiant un des éléments on risque en même temps d'affecter tout un réseau d'interaction pour aboutir à une nouvelle mosaïque.

1.2 Les composantes d'un système et son fonctionnement

Les composantes d'un système sont: les frontières, les intrants, les extrants, le processus de transformation, le feed-back, la perception de la mission, l'enveloppe de maintien. On peut représenter ces composantes d'un système dans une illustration comme celle de la figure 1.2.

1.2.1 Les frontières du système

La frontière d'un système a toujours un caractère quelque peu arbitraire ou artificiel. En effet, c'est celui qui exécute l'analyse qui choisit de tracer la frontière, là où il la trace. Ce faisant, il se trouve à isoler un certain nombre d'interactions et c'est sur celles-ci, à l'intérieur de la frontière, que va porter son analyse. Si la frontière est correctement tracée par rapport à l'objet de l'analyse, on devrait

FIGURE 1.2

Les composantes d'un système et son fonctionnement

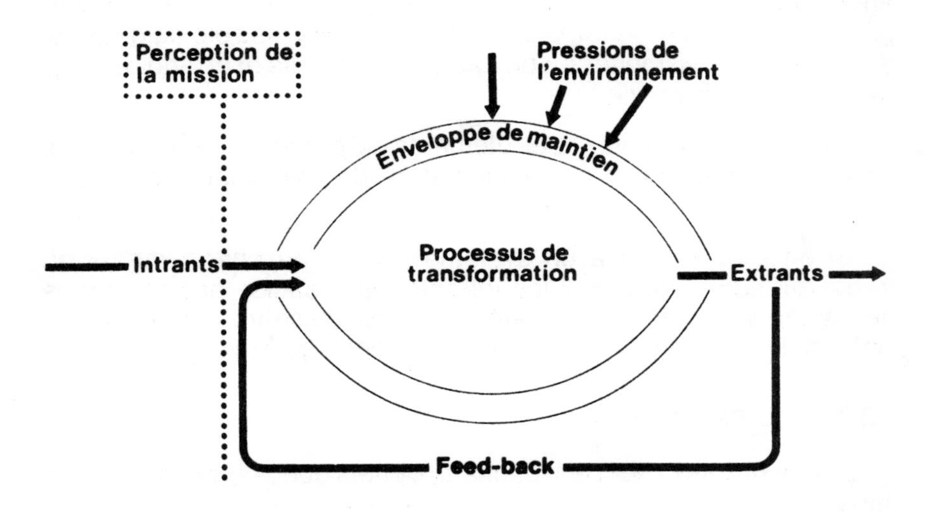

constater qu'il existe une quantité et une qualité d'interactions supérieures entre les éléments à l'intérieur de la frontière, qu'entre les éléments situés à l'intérieur et d'autres situés à l'extérieur de la frontière. Dans le cas d'une équipe de quatre conseillers en formation, si nous voulions examiner la dynamique interne de ce système, nous tracerions la frontière autour des quatres personnes constituant l'équipe. Nous devrions constater que ces quatres personnes, par rapport à un objet particulier, interagissent davantage entre elles et à un niveau d'intensité supérieur, en comparaison avec les interactions qu'elles entretiennent avec d'autres membres d'un grand groupe, le service du personnel par exemple.

La frontière est donc intimement liée à l'identité du système. On pourra également noter que la frontière n'est pas hermétique, mais perméable. Dans la figure 1.2, on a symbolisé cette perméabilité par deux ouvertures aux extrémités de la bulle, lesquelles ouvertures suggèrent que des intrants entrent dans le système et que des extrants en sortent.

1.2.2 Les intrants

Pour qu'un système puisse vivre, il doit pouvoir tirer de son environnement les éléments essentiels à sa survie et à l'accomplissement de sa mission. C'est le cas des systèmes biologiques qui doivent s'approvisionner en oxygène, en aliments et en liquides afin de se maintenir en vie.

On appelle «intrants»[1] ces éléments qui entrent dans le système. Ces intrants peuvent être de toute nature, de toute qualité et de toute quantité.

Si on s'intéressait à un système «projet de changement» on trouverait sûrement parmi les intrants significatifs: les ressources humaines, les ressources matérielles, les ressources financières, l'information, le temps, l'énergie, les objectifs poursuivis.

1.2.3 Les extrants

Les «extrants»[2] sont les résultats et effets que le système génère dans son environnement. Qu'il s'agisse de produits, de biens, de services, concrets ou abstraits, ce sont les résultats qui sont issus du système, tant en quantité qu'en qualité et qui sont habituellement observables, évaluables. Dans le cas du système «projet de changement», les extrants seraient les modifications effectivement apportées dans l'environnement.

1.2.4 Le processus de transformation

Pour que les intrants puissent produire des extrants, il faut qu'ils soient traités par le système: c'est le processus de transformation. Le corps humain transforme les aliments en calories qui seront utilisées immédiatement ou emmagasinées. Pour produire des extrants conformes à la mission poursuivie par le système, celui-ci doit transformer les intrants d'une façon particulière. Le processus de transformation est donc caractérisé par un certain nombre d'activités plus ou moins coordonnées, plus ou moins standardisées,

---

[1] Input en anglais.

[2] Output en anglais.

conçues de façon à produire les extrants désirés. Il va de soi que ce processus de transformation ne peut s'opérer sans qu'une certaine quantité d'énergie ne soit disponible et consommée.

Selon que les intrants ou le processus de transformation seront adéquats, le système réussira à produire ou pas les extrants désirés.

Dans l'exemple du système « projet de changement », on trouverait dans le processus de transformation des rencontres entre les intervenants, des activités de rédaction de documents, des lectures, des études et analyses, des actions particulières, enfin toute une gamme d'activités qui ont pour but de produire les extrants recherchés, c'est-à-dire se rapprochant de la mission du système.

1.2.5 Le feed-back

Imaginons que placé devant une cible avec un arc et des flèches en main, les yeux bandés, je tente d'en toucher le centre. J'ai cinq flèches à tirer. Je tire mes cinq flèches sans jamais avoir d'information sur la destination de chacune d'elles. Il est fort probable que ma performance sera passablement faible. Imaginons au contraire, que toujours les yeux bandés, je tire une première flèche et que quelqu'un me dise où elle s'est posée, par exemple que j'ai tiré deux pieds à gauche de la cible. Je pourrai désormais ajuster le prochain geste pour améliorer mon tir et ainsi de suite. Dans cette hypothèse, on peut présumer que ma performance sera supérieure à la première.

La personne qui m'informe de la conséquence de ma production (ici le tir d'une flèche-extrant) symbolise la fonction de feed-back. Le feed-back ou la rétroaction de l'information est ce mécanisme d'auto-régulation dont les systèmes disposent pour juger des extrants qu'ils produisent afin, au besoin, de faire les ajustements nécessaires. Le feed-back peut informer que les extrants ne sont pas conformes à la mission que s'est donné le système, que ce soit en quantité, en qualité ou en nature, ou encore que les extrants sont conformes à la mission mais qu'ils sont mal reçus dans l'environnement ou encore produisent des effets secondaires indésirés.

Quoiqu'il en soit de ces significations, le feed-back fournira au système des informations qui l'aideront à ajuster son fonctionnement (processus de transformation) ou ses intrants (dont la mission).

Il faut noter que le feed-back, lorsqu'il est reçu par le système, constitue en quelque sorte un nouvel intrant.

Dans l'exemple du projet de changement, les feed-back pourraient informer que le système a produit moins d'effets que prévu ou encore a produit d'autres effets que ceux escomptés. Ce sont là autant d'informations qui permettront de faire un examen du système pour le corriger en fonction des extrants recherchés.

1.2.6 La perception de la mission

La mission d'un système correspond à sa raison d'être dans l'environnement. La perception de la mission est la compréhension que les membres du système ont de sa raison d'être. Nous utilisons à dessein l'expression «perception» car il est vraisemblable qu'il puisse y avoir un écart entre la mission réelle et celle interprétée par les membres du système; or c'est cette perception qui conditionnera le fonctionnement des systèmes.

Ainsi, c'est la perception de la mission qui permettra au système, bombardé d'informations de toutes sortes, de choisir certaines d'entre elles pour les intégrer dans son processus de transformation et d'en rejeter d'autres. En d'autres termes, c'est à partir de la perception qu'il a de sa mission qu'un système décidera des extrants qu'il veut produire et par conséquent choisira ses intrants (y compris les feed-back).

1.2.7 L'enveloppe de maintien

L'enveloppe de maintien a pour fonction de protéger le système contre des intrants et des feed-back indésirables provenant de l'environnement. Cette enveloppe de maintien consommera évidemment une certaine quantité d'énergie au système. Cette énergie ne sera alors pas disponible pour transformer des intrants en extrants. On peut donc dire que plus un système se sera entouré d'une enveloppe de maintien opaque et épaisse, plus ce système consommera d'énergie à se défendre contre son environnement et moins il aura d'énergie disponible pour la poursuite de sa mission.

On peut considérer en règle générale que plus un système est mal adapté à son environnement (à tort ou à raison) plus il aura besoin d'une enveloppe de protection épaisse pour se maintenir dans son état actuel. C'est souvent le cas des personnes qui véhiculent des idées de changement par rapport à leur environnement. Elles doivent en effet investir une bonne quantité d'énergie pour se protéger des pressions d'un environnement social auquel elles ont choisi de ne pas être complètement adaptées. Le phénomène joue de la même façon dans le cas des personnes qui ne voudraient pas s'adapter à un environnement qui par ailleurs aurait subi des changements notables.

L'effet de l'enveloppe de protection se manifestera notamment au niveau de la mission. La perception de la mission qui à toute fin pratique définit la raison d'être du système, constitue un critère privilégié pour décider des intrants et feed-back qui sont et ne sont pas recevables par le système. Cette perception de la mission du système agit donc comme filtre qui permet de faire entrer le feed-back recevable et utilisable dans le système et de faire dévier d'autres types de feed-back.

Reprenons l'exemple du tireur en train de décocher quelques flèches vers une cible. Une personne placée en retrait lui indique l'endroit où se posent ses flèches. Ce feed-back est recevable et le tireur l'intègre pour chacun de ses extrants. Une autre personne se met à lui faire des commentaires concernant le caractère esthétique de son geste, par exemple: «Ce serait plus beau si tu levais davantage le coude droit!» Si le tireur n'est préoccupé que de toucher la cible, il n'intégrera ce commentaire en tant que feed-back recevable que s'il le considère susceptible d'améliorer sa performance, autrement dit seulement s'il le considère pertinent en fonction de la perception qu'il entretient de sa mission, celle-ci étant de toucher le plus près possible le centre de la cible. Si au contraire, le tireur perçoit le commentaire comme n'ayant aucun lien fonctionnel avec la perception qu'il a de sa mission, il ne l'intègrera pas et la perception qu'il entretient de celle-ci agira comme filtre et enverra ce feed-back non-recevable se heurter sur l'enveloppe de maintien.

Il devra cependant consommer une certaine quantité d'énergie pour résister aux demandes de la personne qui entretient des préoccupations d'ordre esthétique. Il pourra par exemple lui répondre verbalement ou simplement faire l'effort de l'ignorer. L'énergie qu'il consommera alors à répondre ou à ignorer son interlocuteur le divertira de sa mission qui est de mieux toucher la cible. Il aura donc moins d'énergie à consacrer à l'atteinte de sa mission. À la limite, il pourra investir tellement d'énergie à se défendre contre cet agent perturbateur qu'il ne lui en restera plus pour continuer à tirer à l'arc.

1.3 Quelques propriétés des systèmes

1.3.1 La tendance à l'homéostasie

Les systèmes auraient tendance à rechercher un état d'homéostasie, c'est-à-dire un état de stabilité relative dans leurs relations avec les autres systèmes et sous-systèmes. Cet état de stabilité consisterait à limiter le plus possible les variations soit dans le fonctionnement du système (intrants, transformation, extrants, feedback, enveloppe de maintien), soit dans les interactions avec les autres systèmes. Dans la mesure où des variations significatives se manifesteraient à un niveau ou l'autre, cela exigerait la consommation d'une certaine somme d'énergie et supposerait des ajustements consécutifs dans et avec l'environnement. Aussi une telle tendance à la stabilisation se présente-t-elle comme une mesure d'économie d'énergie.

Par ailleurs, il faut souligner que « tendance de l'homéostasie » ne signifie pas « rigidité ». Elle correspond plutôt à une recherche d'équilibre et est par conséquent dynamique. Cette recherche d'équilibre se manifestera de deux façons, selon que le système sera en présence d'agents perçus comme menaçants ou comme bénéfiques.

Face à des agents perçus comme menaçants, c'est-à-dire des éléments qui compromettent la mission du système, la tendance à l'homéostasie devrait se manifester par une mobilisation de l'enveloppe de maintien pour résister à l'entrée de ces agents. À l'inverse, face à des agents perçus comme bénéfiques, c'est-à-dire des éléments qui supporteront ou contribueront à la réalisation de la mission du système, la tendance à l'homéostasie devrait se manifester par une démobilisation de l'enveloppe de maintien qui rendra le système perméable aux agents en question. D'une certaine façon si le système est à court d'agents bénéfiques pour « s'alimenter », la tendance à l'homéostasie aura pour effet de stimuler le système à chercher dans son environnement des agents bénéfiques qui assureront son état d'équilibre. Ainsi, un système en changement (en développement) devrait-il être à la recherche d'éléments qui lui assureront un équilibre satisfaisant par rapport à sa nouvelle situation et non plus par rapport à son état antérieur. Dans ce cas-ci, les éléments qui antérieurement assuraient l'équilibre du système, pourraient désormais être même devenus des agents menaçants, car ils ne sont plus de nature à supporter ou contribuer au nouvel état d'équilibre recherché.

Dans la problématique du changement social, la tendance à l'homéostasie dans les systèmes devrait donc susciter de la résistance si le changement est perçu comme menaçant pour l'état d'équilibre du système. Par contre, cette tendance devrait rendre le système visé particulièrement vulnérable au changement, si celui-ci est perçu comme pouvant aider à maintenir ou développer l'état d'équilibre recherché, dans la mesure évidemment où l'énergie qui sera consommée pour s'adapter au changement sera proportionnelle aux gains qui en seront tirés. Soulignons que nous ne disons pas que le système choisira ce qui sera bon pour lui, mais plutôt ce qu'il pense qui sera bon pour lui.

Prenons encore une fois le corps humain comme exemple. On sait qu'il y existe une forte tendance à l'homéostasie. Si un agent toxique s'introduit dans l'organisme, des anticorps et des mécanismes protecteurs (comme les ganglions) s'activeront pour limiter l'impact de cet agent. Dans le cas de transplantation d'organes, on connaît les dangers d'incompatibilité d'où peuvent résulter des phénomènes de rejet. Dans le cas où on abaisserait subitement la température de la pièce où se trouve une personne, son corps exprimera divers signaux qui l'inciteront à se couvrir de vêtements chauds pour rétablir un équilibre calorique satisfaisant. La tendance à l'homéostasie aura donc été un facteur de changement dans le comportement du système.

Dans une certaine mesure, on peut dire que la tendance à l'homéostasie facilite les transactions du système avec son environnement. Si à un moment ou l'autre l'environnement manifeste des modifications substantielles, il est probable que le système éprouvera de plus en plus de difficultés à s'y maintenir dans un état d'équilibre satisfaisant. La tendance à l'homéostasie devrait faire en sorte de stimuler le système pour qu'il se protège mieux ou qu'il change et trouve ainsi un nouvel état d'équilibre. On peut ajouter à cet égard que plus la «zeitgeist»[1] dans le système sera compatible avec les modifications en cours dans l'environnement, plus il devrait tendre à changer plutôt que de se protéger, car l'environnement pourra alors lui fournir des éléments qui manifestement contribueront à l'atteinte de l'équilibre recherché.

1.3.2 Le caractère ouvert, fermé ou semi-ouvert des systèmes

À la lumière de ce qui a déjà été dit au sujet de l'enveloppe de maintien, on peut en déduire qu'un système peut être qualifié de plus ou moins ouvert ou fermé, selon qu'il est plus ou moins perméable aux feed-back de son environnement.

Un système sera dit ouvert lorsqu'il sera spécialement perméable aux feed-back et sera dit fermé lorsqu'il sera totalement ou presqu'entièrement imperméable aux feed-back, surtout à ceux qui l'amèneraient à changer. Un système semi-ouvert (ou semi-fermé) pour sa part sera caractérisé par une ouverture à certains types de feed-back et par une fermeture à d'autres types de feed-back.

Si l'ouverture dans un système présente l'avantage de maintenir un contact quasi-parfait avec l'environnement et de favoriser l'ajustement continu, donc le changement, elle présente également le désavantage d'exposer tellement le système aux différents feed-back de l'environnement que celui-ci en devient littéralement envahi. Il n'a plus de frontière et doit consommer tellement d'énergie à traiter le feed-back au niveau des intrants, qu'il risque de ne plus lui rester d'énergie pour le processus de transformation. Sans compter d'une part la difficulté de concilier certains feed-back contradictoires ou incompatibles et d'autre part l'investissement d'énergie nécessaire à la série d'ajustements consécutifs. Ainsi un système trop ouvert serait pratiquement voué à l'impuissance, faute d'avoir contrôlé suffisamment ses sources d'influences.

On pourrait par exemple imaginer un conseil d'administration qui, par souci d'ouverture s'exposerait de façon continue à tous les feed-back de son environnement pour en tenir compte le plus possible. On peut concevoir les acrobaties auxquelles ce conseil d'administration devrait avoir recours pour traiter tous ces feed-

---

[1] Voir page 45.

back, pour concilier les inconciliables, pour faire régulièrement tous les ajustements nécessaires. Il en résulterait une confusion profonde qui mènerait à l'impuissance.

Le système fermé pour sa part présente les caractéristiques inverses. S'il doit investir très peu d'énergie à s'adapter, il doit par ailleurs en consommer passablement au niveau de son enveloppe de protection pour demeurer imperméable aux pressions de l'environnement. De plus, faute de s'ajuster à un environnement qui lui se transforme, le système fermé risque de devenir déphasé, disfonctionnel car ses extrants n'auront plus de correspondance ou de compatibilité avec les besoins et exigences de l'environnement. En somme, il n'y aura plus d'interaction possible avec les autres systèmes et sa mission ou raison d'être pourra avoir perdu tout son sens. Ce serait le cas par exemple d'un groupe quelconque qui en 1981 continuerait à militer pour faire cesser la guerre du Vietnam.

En somme, le système fermé, à cause de son déphasage persistant par rapport à l'environnement, se place sur une trajectoire d'extinction à plus ou moins court terme.

Quant au système semi-ouvert, il affiche des caractéristiques des systèmes ouverts et fermés en termes de perméabilité aux feed-back de l'environnement.

Dépendant de son degré d'ouverture, il sera perméable à une certaine quantité et à certains types de feed-back et il sera résistant à d'autres. Dans la réalité, on peut présumer que la plupart des systèmes sociaux dont l'existence persiste, sont des systèmes semi-ouverts et que de ce fait ils présentent une certaine perméabilité au changement. Cette perméabilité serait alors conditionnée d'une part, par le degré d'ouverture du système et d'autre part, par la quantité d'énergie dont il dispose pour traiter ces changements.

1.4 Le modèle systémique et le changement

Dans ce chapitre, nous avons présenté sommairement les principaux éléments de la théorie des systèmes. Cette théorie nous aidera à mieux cerner et comprendre les phénomènes sociaux et nous suggérons de l'utiliser comme grille de référence pour mieux comprendre la problématique du changement social et ainsi être plus habile à opérer des changements dans les systèmes organisationnels. Tout au long des chapitres qui suivront nous utiliserons cette théorie comme postulat de base pour explorer le changement social et organisationnel.

À ce moment-ci, il conviendrait que nous définissions mieux ce que nous entendons par « systèmes organisationnels ». À partir de ce qui a été dit sur la théorie des systèmes, nous dirons qu'un système organisationnel est: un groupe de personnes.

- identifiées en fonction d'une mission qui leur est relativement commune,
- à l'intérieur duquel on peut relever différents sous-systèmes,
- qui est en interaction avec d'autres systèmes (donc dans un environnement),
- et qui présente un minimum d'organisation.

Dans la perspective du changement, nous croyons que ce qui est le plus important par rapport à la théorie des systèmes, c'est que l'agent de changement développe une «vision systémique» des environnements sur lesquels il agit. Ainsi, il ne pourra plus envisager ses cibles de changement comme des entités isolées et cloisonnées mais devra les considérer comme des sous-systèmes s'inscrivant dans un réseau d'interdépendance qui conditionnera directement le potentiel de changement. Ce sera déjà une première façon d'être réaliste quant à la nature des interventions à poser. En fait, l'agent de changement aura à prendre en considération les différents sous-systèmes qui seront affectés par un changement ainsi que la force des liens systémiques qui les unissent. Cette appréciation de l'intensité des liens entre les différents sous-systèmes servira à appréhender les conséquences d'une intervention sur les sous-systèmes qui sont en relation avec celui sur lequel on agit.

De la théorie des systèmes, il faut aussi retenir que le changement dans un système organisationnel sera souvent une cause de désordre, consommera un surplus d'énergie et produira des effets systémiques consécutifs. Par ailleurs, la tendance à l'homéostasie dans un système devrait faire en sorte de limiter de telles variations si le changement est perçu comme menaçant, d'où une source de difficulté importante pour l'implantation de tout changement qui tendrait à modifier sensiblement la stabilité du système.

Il faut aussi souligner que la théorie des systèmes nous encourage à entretenir une perception dynamique des systèmes sociaux, où on trouve une perception où il y a des variations, des mouvements, des influences, chacun des systèmes interagissant avec les autres, un peu comme des boules de billard en mouvement qui en se touchant affectent mutuellement leurs trajectoires.

La théorie des systèmes fournit aussi quelques indications sur les stratégies à utiliser pour induire le changement. Par exemple, devant un système plutôt fermé, un agent de changement pourrait conclure qu'il faut rendre ce système plus ouvert avant d'y véhiculer certains types de changement.

Enfin, insistons sur le fait qu'au delà de ses raffinements théoriques, le modèle systémique nous fournit d'abord une façon de concevoir la réalité.

Questions guides

1. *Quelles sont les frontières du système visé?*
2. *Quel est l'état des liens systémiques entre le système et les autres systèmes environnants?*
3. *Quels sont les autres systèmes sur lesquels il faudrait agir en même temps pour pouvoir implanter le changement?*
4. *Comment le système perçoit-il sa mission?*
5. *Le système visé a-t-il une enveloppe de maintien mince ou épaisse? Dans quelle mesure est-il ouvert ou fermé?*
6. *Le changement projeté affectera-t-il les intrants? les extrants? le processus de transformation? les mécanismes de feed-back? la mission?*

CHAPITRE II

LE CHANGEMENT : définition, sources et mécanismes

Le changement: définition, sources et mécanismes

«Il est inutile de tirer sur l'herbe pour la faire pousser».

Proverbe irlandais

2.1 Qu'est-ce que le changement?

Tout bouge, tout change, même la planète sur laquelle nous sommes tourne sur elle-même et se déplace dans l'espace. Comprendre le changement, c'est tenter de comprendre un ensemble complexe de phénomènes, de mouvements, parmi d'autres mouvements et c'est en fait tenter d'expliquer un processus continu qui se situe au centre de la réalité des organismes vivants et qu'il est difficile d'isoler entre deux points.

Sachant que le processus du changement est difficilement isolable entre deux points dans une réalité qui le plus souvent n'est pas linéaire, nous devons néanmoins, pour des fins de compréhension, «faire comme si» on avait réussi à isoler le processus de changement. Cette distorsion de la réalité nous permettra notamment plus loin d'identifier les phases qui se produisent dans le processus de changement.

On pourrait sans aucun doute engager un long débat sur ce qui est et ce qui n'est pas un changement en considérant un certain nombre de critères qualificatifs, quantitatifs, idéologiques. Pour notre part, nous voulons surtout retenir une définition qui aide à cerner le processus du changement indépendamment de la valeur du changement lui-même. Dans cet esprit, nous proposons la définition suivante du changement:

«toute modification d'un état quelconque à un autre, qui est observée dans l'environnement et qui a un caractère relativement durable».

Par extension, la définition que nous donnons du changement organisationnel est la suivante:

> «toute modification observée dans la culture ou la structure d'un système organisationnel et qui a un caractère relativement durable».

Soulignons deux aspects de cette définition. Premièrement, il suffit qu'une modification soit observée, donc observable, pour qu'on parle de changement. En effet, ce qui à notre avis fait qu'il y a changement, n'est pas que la modification en cause soit plus ou moins grande, c'est plutôt qu'elle soit observée, c'est-à-dire qu'elle oblige à une modification dans les perceptions de celui qui vit dans l'environnement. Par ailleurs, il est évident que les changements de petite envergure ne susciteront que peu d'intérêt, mais il reste que ce seront les mêmes processus qui s'y produiront, avec moins d'intensité.

Deuxièmement la définition ne préjuge en aucune façon de la valeur du changement. En effet, le mérite d'un changement n'appartient pas à sa définition mais plutôt au jugement de celui qui l'observe. Et ici comme ailleurs la bonne vieille loi de la relativité perceptuelle jouera: pour un changement donné, certains y verront une bénédiction du ciel et d'autres une calamité de l'enfer. En fait, quand on tente de juger de la valeur d'un changement, c'est davantage aux notions de progrès et de régression qu'on s'adresse, le progrès étant l'atteinte d'un état plus adéquat par rapport à ce qui existait antérieurement et la régression étant l'inverse (toujours tel que perçu par celui qui l'observe).

Profitons-en pour clarifier immédiatement les expressions «changement», «processus de changement» et «démarche de changement». Ces trois expressions seront utilisées fréquemment dans le reste du volume et il importe de ne pas les confondre.

L'expression changement refère à une modification observable qui s'est produite dans le système social.

L'expression processus de changement réfère à comment le système en cause vit le changement qui est en train de s'implanter. Le processus se situe donc au niveau du ressenti par celui ou ceux qui vivent le changement (qui ne sont pas nécessairement ceux qui le produisent).

La démarche de changement réfère aux différentes phases qui seront franchies pour initier, promouvoir et implanter un changement dans un système. Elle contient donc les différentes activités qui seront exécutées par l'agent et peut-être les destinataires pour s'assurer que le changement se matérialise.

2.2 Le processus du changement

En reprenant la théorie de Kurt Lewin[1] nous dirons, par analogie avec la chimie, que le processus du changement tel que vécu par le système qui change se caractérise par trois étapes plus ou moins distinctes et qui seront plus ou moins longues, difficiles et intenses selon les personnes et les groupes concernés. Ce sont:

- la décristallisation (ou dégel)
- le mouvement
- la recristallisation (ou regel)

Yves St-Arnaud a imaginé une illustration intéressante pour décrire ce processus.

FIGURE 2.1

Les étapes du changement[2]

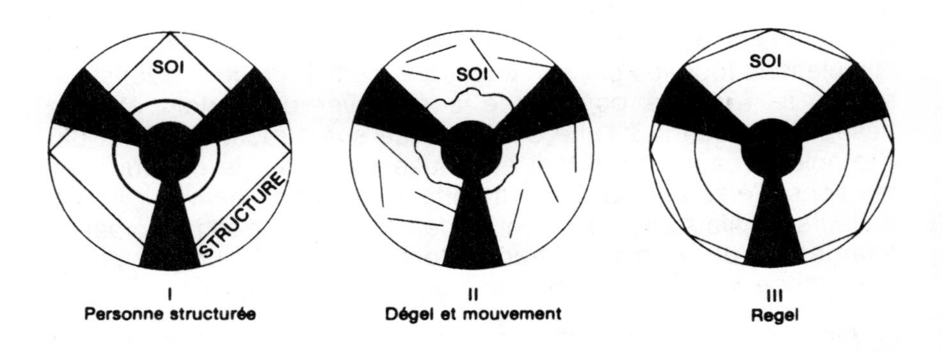

[1] Lewin, Kurt. *Resolving Social Conflicts.* New-York: Harper, 1968.

[2] St-Arnaud, Yves. *La personne humaine,* Montréal, Les éditions de l'Homme, 1974, p. 170.

Cette illustration (figure 2.1) montre que la structure initiale est provisoirement devenue plus fluide pour ensuite redevenir solide, mais dans une forme différente de ce qu'elle était antérieurement. Il faut souligner ici que solide n'est pas équivalent à rigide mais évoque davantage une certaine stabilité.

Ainsi le processus du changement vécu par des personnes serait marqué dans un premier temps par l'abandon des comportements ou attitudes habituelles. Suivrait ensuite une période marquée par des comportements ou attitudes plus ou moins instables, diffus, pour déboucher sur l'acquisition de nouveaux comportements ou attitudes.

2.2.1 La décristallisation

La décristallisation correspond à la période où un système, qu'il s'agisse d'un individu, d'un groupe ou d'une plus grande collectivité, commence à remettre en question volontairement ou non ses perceptions, ses habitudes ou ses comportements.

On peut se représenter un système humain comme un ensemble où interagissent des structures de comportements, d'attitudes, d'opinions et de valeurs. Chacune de ces structures est l'expression d'un état d'équilibre dynamique entre d'une part, les besoins et aspirations du système humain et d'autre part, les contraintes et les stimulations fournies par son environnement. Lors de la décristallisation, le système commence à éprouver un certain état de déséquilibre quant à l'une ou l'autre de ses structures. C'est par exemple le cadre qui remet en cause sa façon de conduire les réunions; l'électeur qui se demande si sa façon de voter lui est toujours satisfaisante; le parent qui fait l'examen de sa participation à la gestion de l'école que fréquentent ses enfants; un groupe qui commence à mettre en doute ses pratiques du passé.

Ainsi, il y a décristallisation lorsqu'un système commence à remettre en question ce qu'il est, en tout ou en partie, et qu'il songe à explorer d'autres alternatives, ou encore lorsqu'il accepte que ses façons de faire doivent être abondonnées au profit d'autres.

Soulignons que la décristallisation sera habituellement accompagnée d'insécurité, d'anxiété car le système accepte alors de se départir de ses points de repères familiers, avec lesquels il a déjà acquis une certaine habilité pour en adopter d'autres encore mal connus et avec lesquels il risque d'être inconfortable, du moins pour un temps. C'est en quelque sorte accepter de quitter les sentiers connus pour aller à l'aventure, souvent sans en connaître les issues réelles. Il ne faut d'ailleurs pas oublier qu'en acceptant d'abandonner ses comportements habituels, le système accepte en même temps de sacrifier une bonne part des avantages qui les accompagnaient au profit d'autre avantages «anticipés». C'est un phénomène pas très éloigné du pari et les risques peuvent être nombreux.

Sachant que la décristallisation peut être exigeante pour le système, qu'est-ce donc qui peut néanmoins l'amener à changer? En d'autres termes, quelles seraient les sources du changement dans les systèmes sociaux?

Selon que l'on se réfère à l'une ou l'autre des différentes approches en sciences sociales et selon notre conception du changement on pourrait expliquer la décristallisation de multiples façons. Quant à nous, à partir d'une vision psychosociale, nous retiendrons quatre sources qui nous apparaissent les plus significatives et les plus utilisables. Ce sont:

- un manque de confirmation[1]
- la présence de renforcements négatifs[2]
- l'attrait de satisfactions accrues
- la recherche d'un équilibre meilleur.

A- UN MANQUE DE CONFIRMATION

Chacun d'entre nous éprouve plus ou moins clairement le besoin de se sentir confirmé ou à tout le moins d'être reconnu comme faisant partie du monde. Il en va de même des groupes de travail, des organisations et des collectivités pour qui souvent la confirmation et

---

[1] Schein, Edgar. *The Mechanisms of Change*, in W.G. Bennis, K.D. Benne, R. Chin (Eds.): *The Planning of Change* (p. 297-312). New-York: Holt, Rinehart and Winston, 1969.

[2] *Ibid.*

la reconnaissance prennent forme de témoin de leur légitimité par rapport à leur environnement. Les systèmes développent donc des ensembles complexes de comportements dont la fonction est d'obtenir la satisfaction recherchée. Nous sommes donc en état d'équilibre relatif par rapport à ces comportements tant que ceux-ci continuent de nous apporter de la satisfaction, c'est-à-dire de la confirmation, et cela dans la mesure où celle-ci nous vient d'un environnement qui est significatif pour nous.

Dans le cas d'une association, la participation des membres peut apporter cette confirmation; dans le cas d'une entreprise, le niveau des revenus peut traduire cette confirmation; dans le cas d'un gouvernement, des sondages positifs peuvent apporter cette confirmation; pour le professeur, cette confirmation pourrait être obtenue par l'estime, l'affection ou la réussite de ses étudiants. À l'intérieur d'une famille, cette confirmation peut être obtenue par l'estime des autres membres.

Si toutefois, pour une raison ou pour une autre, notre environnement cesse de produire les confirmations que nous espérons, cela risque de provoquer à plus ou moins court terme un déséquilibre entre le comportement et la satisfaction recherchée par ce comportement. Celui-ci ne fournira plus les satisfactions attendues et il en découlera une sensation de déception ou de frustration.

Le manque de confirmation c'est donc l'écart entre les satisfactions recherchées par un comportement donné et la satisfaction obtenue. Cet écart devrait éventuellement mener à essayer d'autres comportements afin d'obtenir la satisfaction recherchée.

Ainsi, lorsque le système ressentira une absence ou une rareté de confirmation, il éprouvera un certain déséquilibre et pourra amorcer une phase de décristallisation. Il faut noter que la décristallisation ne sera pas automatique. Le système peut choisir de ne pas changer, notamment en cherchant d'autres fournisseurs de confirmation ou encore en cessant d'avoir besoin de cette confirmation. Par exemple, un gouvernement pourrait décider de ne plus avoir besoin du soutien des électeurs (du moins jusqu'à la prochaine élection) plutôt que de modifier son approche. Un professeur pourrait rechercher de la confirmation auprès de collègues professeurs pour remplacer celle qu'il n'obtient pas avec ses étudiants. On pourrait donc presque dire que c'est dans la mesure où les autres alternatives seront peu attrayantes que le manque de confirmation deviendra source de changement.

B - LA PRÉSENCE DE RENFORCEMENTS NÉGATIFS

Il se peut que les comportements que nous déployons dans le but d'obtenir satisfaction à nos besoins de confirmation rencontrent non seulement l'absence de confirmation mais encore des renforcements négatifs qui auraient pour effet de nous punir physiquement ou psychologiquement.

Prenons par exemple le cas d'un service public qui aurait pour mission d'offrir une gamme de services donnés à une population. Il se pourrait que non seulement la population utilise peu les services offerts (manque de confirmation), mais qu'en plus elle formule des critiques sévères à l'endroit de ceux-ci. Il s'agirait alors de renforcements négatifs. Par renforcement négatif, nous entendons donc les feed-back négatifs par lesquels un système humain est informé de l'impact de son action sur un environnement. Ce feed-back peut-être manifeste et explicite ou latent et implicite.

L'exemple précédent illustre un cas de feed-back manifeste et explicite. Un exemple de feed-back implicite et latent serait celui d'un cadre qui parlant d'une expérience de participation à la prise de décision dans son équipe de travail constaterait que le résultat net de son action est que non seulement les membres de son équipe ne participent pas davantage mais qu'en plus ils agissent comme s'ils se sentaient manipulés et font preuve d'une grande méfiance à son endroit, sans toutefois le dire ouvertement et explicitement.

Dans un cas comme dans l'autre qu'il s'agisse de feed-back explicite ou implicite, ces renforcements négatifs peuvent induire un certain niveau d'anxiété. Or, chacun d'entre nous a un seuil de tolérance plus ou moins élevé à l'anxiété. Lorsque ce seuil de tolérance est atteint, une de nos réactions peut être de tenter d'éliminer les causes de ces renforcements négatifs. Nous tenterons alors de remplacer les comportements ou les attitudes problématiques par d'autres comportements ou attitudes plus acceptables pour l'environnement.

Il se peut par exemple qu'un chef de service soit disposé à tolérer l'insatisfaction d'un petit nombre d'employés qui le conteste ouvertement. Si toutefois ceux-ci devaient réussir à rallier un plus grand nombre de personnes au cours de leur contestation cela pourrait avoir pour effet que le seuil de tolérance du chef de service soit atteint et qu'il commence effectivement à envisager des modifications à ses comportements ou ses attitudes.

Une organisation pourrait être capable d'accepter un certain taux d'absentéisme, ce taux étant le reflet de conditions plus ou moins normales dans la dynamique organisationnelle. Si le taux d'absentéisme devait dépasser un certain seuil, cela pourrait conduire l'oganisation à s'interroger suffisamment pour remettre en cause certains éléments de sa dynamique interne.

Ainsi, au-delà d'un certain seuil de tolérance, la présence de renforcement négatifs, à cause de l'anxiété qu'ils induisent, peut agir comme source de changement. On verra cependant dans le chapitre qui traite du changement d'attitudes qu'il y a des précautions à prendre pour que l'anxiété vécue ne devienne pas une source de résistance au changement. Pour l'instant, contentons-nous d'établir qu'en général les gens opteront pour ce qui sera le moins anxiogène: le changement ou le statu quo.

C- L'ATTRAIT DE SATISFACTIONS ACCRUES

La possibilité d'accroître ses satisfactions peut être une stimulation à changer dans un système. Contrairement aux deux précédentes, cette source de changement ne suppose pas qu'il y ait insatisfaction réelle dans le système. Elle suppose plutôt que le changement projeté permet de croire à des avantages supérieurs à ceux déjà existants.

Il faut souligner ici que ces avantages devront être perçus et valorisés non seulement par l'agent, mais surtout par les destinataires du changement. En effet, c'est auprès du destinataire que cette source devra être mobilisée.

Cette source de changement exige deux conditions pour avoir un impact. D'une part, il faut que les destinataires soient convaincus de la supériorité des effets résultants du changement. D'autre part, il faut que les avantages présumés, non seulement soient supérieurs à la situation actuelle, mais également compensent pour la somme d'énergie qui sera nécessaire pour opérer le changement.

Cette source de changement est souvent mobilisée dans les organisations par les promoteurs d'idées nouvelles. Ils s'emploient de toutes sortes de façons à mettre en valeur les avantages qu'amèneraient l'adoption de ces idées nouvelles. En retour, on leur rétorque souvent que ces avantages restent à être démontrés ou encore qu'ils ne sont pas assez évidents pour justifier les bouleversements que le changement entraînerait.

Le type d'environnement qui est probablement le plus propice à l'action de cette source de changement est celui où les gens ressentent de l'ennui. On sait que l'ennui, sans traduire d'insatisfaction manifeste, témoigne d'un appauvrissement en qualité et / ou en quantité de stimulations disponibles. Une personne ou un groupe qui s'ennuie, c'est un système qui manque de stimulations ou de gratifications. On comprendra facilement qu'un tel système devient particulièrement vulnérable à des changements qui offrent des possibilités de plus grandes satisfactions, notamment au niveau des stimulations disponibles. Encore faut-il que ces stimulations soient valorisées par les gens concernés.

C'est probablement sur la base d'une hypothèse semblable que les spécialistes du marketing s'adressent à la «ménagère» pour lui faire miroiter les plaisirs mirobolants qu'elle éprouvera à utiliser tel ou tel produit, en prenant soin de présenter le produit concurrent comme terne et ennuyeux.

D- LA RECHERCHE D'UN MEILLEUR ÉQUILIBRE

L'ensemble du courant humaniste en psychologie postule la présence d'une tendance innée à l'actualisation chez la personne humaine. Cette tendance nous mènerait, en dépit de certaines erreurs de parcours mettant en cause l'environnement, à devenir de plus en plus totalement ce que nous pouvons potentiellement être. Ainsi, suivant ce postulat, même dans un environnement qui serait confirmant à l'égard de nos comportements et où la quantité et la qualité de stimulations seraient élevées, la tendance à l'actualisation ou la recherche d'un meilleur équilibre nous inciterait à expérimenter de nouveaux comportements et de nouvelles attitudes plus proches des contours de ce que nous pouvons être.

On pourrait vraisemblablement tenir un raisonnement analogue pour les systèmes organisationnels. En présence de certaines conditions, on peut penser qu'un système organisationnel sera motivé à changer sur la base d'une recherche d'un meilleur équilibre.

Parmi ces conditions, mentionnons l'ouverture du système et la disponibilité d'énergie résultant d'une enveloppe protectrice mince. En effet, le système qui a peu d'énergie à consommer pour se protéger des pressions de son environnement dispose d'une certaine quantité d'énergie qu'il peut investir pour améliorer son fonctionnement. Étant peu mobilisé à se défendre, le système peut être plus attentif aux zones où il y a place pour de l'amélioration. D'ailleurs, on peut présumer qu'un système n'aura jamais atteint un niveau de fonctionnement parfaitement satisfaisant, ne serait-ce qu'à partir des ajustements nécessités par l'effet des relations inter-systèmes. Aussi, dans la mesure où un système présentera un degré relatif d'ouverture, il est probable qu'il sera appelé à vivre des modifications d'intensité variable. Or ce processus de changement continu se fera d'autant plus dans une perspective de recherche d'un meilleur équilibre, que le système aura des énergies disponibles pour traiter ces changements. À la limite, on pourrait faire l'analogie avec un organisme biologique qui fait en sorte de maintenir un état de santé satisfaisant.

Un tel contexte pourra constituer un levier de changement, dans la mesure où non seulement le changement proposé ne menacera pas le niveau d'équilibre atteint mais en plus contiendra des garanties de procurer un équilibre meilleur.

Cette source de changement se différencie de la précédente en ce que la précédente mise sur la rareté des gratifications et satisfactions alors que celle-ci s'appuie sur le souci d'améliorer constamment l'équilibre.

2.2.2 Le mouvement

Lorsque le processus de décristallisation des comportements ou attitudes est commencé, le changement n'est pas acquis pour autant. Il lui reste encore à trouver sa direction et à se consolider. En effet, le changement ne suppose pas uniquement l'abandon de comportements ou d'attitudes mais surtout l'acquisition de nouveaux comportements et attitudes.

La deuxième phase du processus de changement, qui suit le dégel, est le mouvement.

Comme il ne suffit pas d'éprouver au plan émotif ou intellectuel de façon diffuse une nécessité de changement pour que celui-ci s'opère par magie, le système concerné devra d'abord modifier sa façon de concevoir la réalité[1] pour ensuite «bouger», c'est-à-dire essayer de se rapprocher de cette nouvelle conception de la réalité.

Ainsi le mouvement sera cette phase du processus de changement où le système se rendra plus ou moins perméable à de nouveaux modes de comportement, à de nouvelles possibilités d'attitudes. C'est à cette phase par exemple que l'administrateur d'un service public deviendra davantage sensible à ce qui se fait ailleurs et aux résultats obtenus, que le cadre s'intéressera à ce que ses collègues ont développé comme moyens pour faire face aux situations problématiques avec leur personnel.

Nous n'en sommes donc plus à la simple remise en question et pas encore tout à fait au choix. La nécessité de changement étant désormais ressentie, le système oriente son regard vers les éléments de son environnement qui sont susceptibles de lui apporter des solutions ou des alternatives à sa situation actuelle.

Cette recherche de nouveaux comportements et de nouvelles attitudes peut s'effectuer selon deux mécanismes: celui de la recherche et celui de l'identification. Il n'est jamais facile de départager dans un mouvement ce qui tient de la recherche de ce qui tient de l'identification. De façon générale on peut toutefois dire que le mécanisme de la recherche est caractérisé par la volonté de trouver une solution particulièrement adaptée à la situation, quitte à l'inventer, alors que le mécanisme d'identification se caractérise surtout par la reprise (l'imitation) de solutions qui ont déjà eu du succès ailleurs.

---

[1] C'est dans cet esprit qu'Edgar Schein dans son article "The Mechanisms of Change" (*The Planning of Change*, 1969) dit que le changement s'opère au travers d'un processus de redéfinition cognitive.

A- LE MÉCANISME DE RECHERCHE

Le système qui opère un changement en suivant le mécanisme de recherche s'engage dans un processus conscient et délibéré d'inventaire et d'évaluation de différentes options qui pourraient remplacer les comportements et / ou attitudes délaissés. Ces options peuvent aussi bien être déjà existantes, comme elles peuvent être littéralement crées.

Souvent ce processus sera marqué de différentes expérimentations qui permettront de dégager les options qui répondent le mieux aux besoins perçus.

Par exemple, le service public aux prises avec un problème de faible fréquentation de ses services pourrait avoir entrepris une étude à l'intérieur de laquelle différentes hypothèses seraient considérées pour solutionner le problème. En plus, des contacts auraient pu être établis avec d'autres organismes ayant expérimenté certaines de ces hypothèses pour en connaître les effets réels. Enfin, différentes formules pourraient être expérimentées pour détecter les plus efficaces et pour mieux les ajuster aux exigences du réel. Somme toute, une démarche délibérée et lucide aurait été entreprise pour trouver la ou les options les mieux adaptées au besoin.

Parmi les aspects qui caractérisent le mécanisme de recherche, on peut retenir ceux qui suivent:

a) le système, s'engage dans un processus actif de recherche d'options et peut aller jusqu'à l'expérimentation;

b) le système est relativement lucide sur le fait qu'il a choisi de changer et qu'il investit des efforts à mieux cerner la direction du changement;

c) le système ne cherche pas nécessairement une option «toute faite» mais surtout un aménagement d'options adapté à son besoin.

Toutefois, ce mécanisme sera accompagné de difficultés. En effet, de par la nature du mécanisme de recherche, on peut prévoir que la période de mouvement pourra être relativement longue. Il ne s'agit pas de remplacer une situation par une autre, mais de trouver la nouvelle formule qui conviendra aux circonstances.

À cause de cette durée prolongée, mais aussi à cause d'une période où il y aura absence de points de repères sécurisants[1], on peut s'attendre à ce que l'usage de ce mécanisme soit source d'anxiété. Elle amènera possiblement des réflexions du genre « on ne sait pas où on va! » En fait, il s'agit même là d'un danger, car au-delà d'un certain niveau d'anxiété, il est probable, par mesure d'économie d'énergie, que les gens songeront à abandonner l'entreprise de changement pour régresser à la situation antérieure, qui elle au moins était connue, donc sécurisante. Il est d'ailleurs vraisemblable qu'à l'aide d'un tel phénomène on puisse expliquer bon nombre d'échecs dans des tentatives de changement[2].

Signalons qu'en général le mécanisme de recherche ne pourra pas s'opérer in abstracto. L'examen des divers éléments de solution ne pourra dans la plupart des circonstances se faire qu'en tenant compte de certains éléments de l'environnement, lesquels éléments pourront avoir pour effet d'imposer ou de restreindre considérablement l'éventail des choix du système qui est en train de vivre un changement.

B- LE MÉCANISME D'IDENTIFICATION

Dans le mécanisme d'identification, le système qui change remplace la situation insatisfaisante par une formule qu'il emprunte souvent intégralement à un autre système qui l'a utilisée avec profit. Il s'agit donc d'un processus d'imitation où les efforts de réaménagement sont minimaux. En caricaturant, on pourrait dire que ce qui importe ce n'est pas une solution qui correspond bien à la

---

[1] Les anciens comportements étant abandonnés.

[2] Pour illustrer de façon un peu amusante ce phénomène, relatons une anecdote rapportée par Konrak Lorenz (On Agression, 1966, p. 57-58). Lorenz possédait une oie (Martina) qui le soir couchait dans sa chambre au second étage de la maison. Pour se rendre à la chambre, l'oie avait l'habitude de suivre systématiquement le même trajet tous les soirs. Entre autre, elle faisait un détour près d'une fenêtre et abordait l'escalier du côté gauche. Un soir que Lorenz la fit entrer plus tard qu'à l'habitude, Martina se projetta dans la maison, visiblement anxieuse, et alla directement à l'escalier qu'elle monta du côté droit. Arrivée à la cinquième marche, elle s'arrêta soudainement et manifesta des signes de peur typiques aux oies. Après un moment d'hésitation elle descendit rapidement l'escalier et se rendit jusqu'à la fenêtre pour entreprendre cette fois son trajet habituel. Cette fois elle se rendit jusqu'au haut de l'escalier, tout signe de tension étant disparu.

problématique, mais d'abord une solution de rechange qui a bien fonctionné ailleurs et qu'on pense pouvoir emprunter avec succès.

Ce mécanisme est fréquemment utilisé pour opérer des changements. On l'observe entre autres chez l'enfant qui imitera ses parents ou des compagnons de jeux.

S'il présente le danger que les formules retenues ne soient pas parfaitement adaptées au besoin, le mécanisme d'identification a cependant l'avantage d'être économique en énergie. Il est en effet plus facile de reproduire une situation connue que d'en inventer une originale. En plus, il est certes moins anxiogène que le mécanisme de recherche car on n'a pas à explorer dans l'incertitude; il suffit d'emprunter les points de repères fournis par le modèle identifié. On peut donc s'attendre à ce que ce mécanisme produise plus rapidement ses effets que celui de la recherche. Cependant, ces effets risquent d'être moins durables, car ils seront moins bien assimilés par le système.

En fait, le danger avec le mécanisme d'identification ne réside pas dans l'identification elle-même, mais dans la possibilité que le comportement emprunté ne corresponde pas parfaitement bien au besoin de la situation et que le système ne fasse pas l'effort d'améliorer cette correspondance. On aura souvent vu par exemple ce phénomène chez des adolescents qui systématiquement tentent de reproduire les gestes de leurs idoles, ces gestes étant par ailleurs incompatibles avec leurs caractéristiques personnelles. On aura vu aussi ce phénomène dans certaines organisations où on a tenté d'implanter une théorie de gestion sans l'ajuster aux caractéristiques du milieu.

À certains égards, si le système est soucieux d'aménager le modèle emprunté à ses besoins et caractéristiques, le mécanisme d'identification pourra devenir particulièrement fonctionnel, car il permettra une économie d'énergie et limitera les effets anxiogènes du changement. Habituellement cette démarche se fera en deux temps. Dans un premier temps le système empruntera presqu'intégralement le modèle retenu et dans un deuxième temps, à la lumière de l'expérience vécue, il retiendra les aspects avec lesquels il se sent confortable et rejettera les autres pour les remplacer par de plus satisfaisants. En définitive il s'agira alors d'une approche qui conjuge le mécanisme d'identification et celui de la recherche.

Le mécanisme d'identification peut s'opérer de deux façons, soit l'identification positive et l'identification négative.

a) L'identification positive

L'identification positive se présente comme un processus où le système choisit volontairement un autre système comme modèle auquel il veut ressembler. Elle résulte donc d'un phénomène d'attraction où on postule qu'en reproduisant les faits et gestes de l'autre système, on en tirera sensiblement les mêmes bénéfices.

Notre administrateur de service public aux prises avec certains problèmes d'articulations entre les services qu'il offre et les besoins de la population, pourrait par exemple adopter certaines façons de faire d'autres organisations semblables, davantage à partir du fait que ces autres organisations ont à ses yeux un quelconque prestige et qu'au plan organisationnel il désire assimiler ou incorporer une partie de ce prestige et une partie des conséquences qui l'accompagnent. En fait, une part considérable de la publicité mise sur des changements par voie d'identification positive. Ainsi le fait qu'un athlète nous présente un certain produit pourrait inciter ceux qui sont particulièrement vulnérables à la personnalité et à l'image de cet athlète, à consommer davantage de ce produit sans qu'on ait vraiment démontré sa qualité ou sa valeur, ou tout au moins qu'on ait peu attiré l'attention sur ces aspects.

b) L'identification négative

L'identification négative pour sa part se présente également comme un processus où le système choisit d'agir en imitant un modèle mais cette fois le choix résulte de la nécessité de se plier à certaines contraintes. En d'autres termes, si le système le pouvait, il agirait autrement mais dans le contexte, s'il le faisait, il s'exposerait à différentes formes de sanctions.

Un très bon exemple de ce mécanisme est celui de différentes lois qui limitent la marge de manoeuvre des entreprises et à cet égard on peut penser à certaines lois visant la protection du consommateur. Le plus souvent, les entreprises qui respectent ces lois (donc qui suivent la conduite suggérée par la loi), le font non pas à cause de l'attrait pour le contenu de ces lois, mais dans le dessein d'éviter les sanctions auxquelles elles s'exposeraient autrement. C'est un mécanisme qu'on observe souvent aussi dans les fonctions publiques où les services accepteront de se plier à des directives venant des autorités. D'ailleurs, ce mécanisme fonctionne exactement de la même façon au niveau des normes sociales. Ainsi, dans les quartiers résidentiels, on peut présumer que bon nombre de résidents apportent un soin à leur terrain entre autres pour éviter d'être la victime des remarques du voisinage. Et que dire du choix de l'automobile...?

On l'aura compris, ce mécanisme a généralement pour effet que le système en cause ne fera que le minimum de changement nécessaire pour se conformer au modèle prescrit.

Soulignons que si dans l'identification positive le phénomène joue souvent de façon inconsciente, ici il agit souvent de façon très consciente, voire explicite.

Pour mieux illustrer la différence entre l'identification positive et l'identification négative, imaginons le cas de deux finissants d'université en sciences humaines qui sont embauchés par un même employeur dans des postes de gestion. Étudiants, l'un et l'autre portaient régulièrement des jeans, t-shirt, cols roulés et s'en trouvaient fort bien. Dans leur emploi, le personnel masculin en place porte systématiquement le complet avec chemise et cravate. L'un des deux nouveaux arrivés s'est rapidement senti attiré par l'image du personnel en place et par effet d'identification positive a choisi de porter un vêtement qui le rapproche autant que possible de cette image. L'autre ex-étudiant dans son cas aurait préféré continuer à porter le même type de vêtement qu'auparavant. Toutefois, après avoir constaté qu'il risquait d'être marginalisé, voire même réprimandé s'il ne se conformait pas à la norme ambiante, il a choisit d'adopter aussi le modèle vestimentaire véhiculé dans le service sans cependant y apporter beaucoup de recherche. Il a donc changé par identification négative.

Ainsi, le changement peut s'opérer, au niveau de la phase de mouvement, par deux mécanismes : un mécanisme de recherche et un mécanisme d'identification. Il est évident que dans la réalité la plupart des changements empruntent à la fois à l'un et l'autre mécanisme, la tendance dominante étant d'un côté ou de l'autre.

En dernière analyse, notons que dans le mécanisme de recherche, le système en changement est davantage sensible au contenu du message (les options) qu'aux sources qui les véhicules alors que dans le mécanisme d'identification, le système est davantage attentif aux sources (le modèle) du message qu'à son contenu.

2.2.3 La recristallisation

Ici se trouve l'un des plus grands cimetières d'espoirs déçus en matière de changement. En effet, plusieurs s'imaginent qu'abandonner de vieilles habitudes et commencer à se divertir dans l'expérimentation de nouveaux comportements et de nouvelles attitudes suffit pour produire des changements. Or, le changement ne sera durable que dans la mesure où la troisième phase, celle de la recristallisation sera réussie et intégrée.

Les enjeux de cette troisième phase sont essentiellement des enjeux d'intégration. Cette intégration pourra se faire soit au niveau intra-systémique, soit au niveau inter-systémique.

A- L'INTÉGRATION INTRA-SYSTÉMIQUE

L'intégration intra-systémique signifie que le nouveau comportement aura été intégré à l'intérieur du système, c'est-à-dire qu'il aura été «harmonisé» avec les caractéristiques des autres sous-systèmes de façon à éliminer les sources de conflits ou de dissonnance. Ce n'est pas parce qu'un système adopte un nouveau comportement que celui-ci d'emblée peut co-exister avec les autres composantes du système et en fait il est possible que ce nouveau comportement soit relativement incompatible avec d'autres sous-systèmes. On a observé par exemple qu'il était difficile d'acquérir un style de leadership plus ouvert ou plus démocratique sans en même temps changer sa façon d'entrer en relations avec les gens. Un autre exemple serait celui d'une institution qui changerait sa mission. Il est évident que cette nouvelle mission ne sera enracinée que le jour où elle se sera intégrée aux différentes activités de l'institution. Il en va de même d'un parti politique qui adopte un nouvel élément de programme. Afin d'assurer une certaine cohésion interne, il est important que ce nouveau programme soit soutenu et articulé par rapport à ce qui existe déjà dans les grandes orientations du parti en question. Sans quoi, ce nouvel élément serait rapidement rejeté par la dynamique même du système qui ne pourrait l'incorporer dans ses façons de faire. Nous dirions alors que l'intégration intra-systémique n'a pas été réussie et qu'on a pas réussi à faire vivre l'élément «transplanté» dans le système. Par analogie, on peut penser aux expériences de transplantation cardiaque où un des problèmes importants consiste à s'assurer que le nouvel organe est accepté par l'organisme et que les deux réussissent à s'harmoniser.

Le plus souvent, cette intégration ne se fera pas naturellement et il faudra un certain nombre d'efforts pour la faciliter. Entre autre, on peut présumer que l'implantation du changement pourra d'une part exiger des aménagements au projet initial pour le rendre plus compatible avec les divers sous-systèmes et d'autre part amener des changements dans ces sous-systèmes afin qu'ils s'ajustent aux caractéristiques du nouveau comportement. Ainsi, dans une organisation où on déciderait d'établir l'horaire flexible, on peut prévoir que la mobilité permise ne sera pas absolue, pour pouvoir s'adapter aux mécanismes de contrôle et qu'en même temps ces mécanismes seront néanmoins modifiés dans une certaine mesure.

B- L'INTÉGRATION INTER-SYSTÉMIQUE

L'intégration inter-systémique quant à elle pose la question de savoir jusqu'à quel point le système qui a changé sera désormais soutenu par les autres systèmes avec lesquels il est en contact.

Pensons à l'exemple du fumeur qui cesse de fumer. Comment son environnement réagira-t-il? S'il est en situation de couple, est-ce que l'autre personne soutiendra le changement? Est-ce que ses amis, relations et famille accepteront ce nouveau comportement? Quant au cadre qui expérimente une nouvelle façon d'être en relation avec ses subordonnés, comme réagiront les autres cadres de son organisation? Comment réagira le syndicat? Par rapport à l'administrateur d'un C.L.S.C.[1] qui tente une nouvelle expérience, comment se comporteront les autres intervenants du réseau des affaires sociales de la région à l'égard de cette expérience? L'intégration inter-systémique sera donc réussie dans la mesure où le système qui vit le changement aura réussi à intégrer dans ses rapports avec son environnement l'élément nouveau de son comportement ou de son attitude.

[1] Centre Local de Services Communautaires.

Cette phase d'intégration, que ce soit au niveau intra-systémique ou inter-systémique est cruciale car c'est d'elle que dépend en bonne partie la durée de vie du changement. Si l'entourage ou les caractéristiques du système ne supportent pas les nouveaux comportements il est permis de craindre que ceux-ci ne soient pas intégrés et qu'ils tendent à s'estomper avec le temps. Nous dirons alors que le système régresse à un stade antérieur et que l'intégration systémique n'est pas réussie.

2.3 Les implications pour l'agent de changement

Les mécanismes que nous venons de présenter conditionneront les chances de succès d'une entreprise de changement et l'agent de changement devra les prendre en considération dans ses interventions.

Pour qu'il y ait un minimum de réceptivité à l'endroit du changement, l'agent devra s'assurer que le système social visé présente l'une ou l'autre des sources de changement. L'absence de source réelle de changement nous permettrait de prédire l'échec à plus ou moins court terme de la tentative de changement. Dans ces conditions, l'agent pourrait cependant convenir dans un premier temps de créer ou de favoriser l'émergence de l'une ou l'autre des sources de changement. Par exemple, on pourrait accroître le niveau d'insatisfaction des gens pour mieux faire sentir la nécessité d'un changement. C'est là une tactique fréquemment utilisée par des groupes révolutionnaires. Ou encore on pourrait s'employer à montrer comment la vie serait améliorée si le changement était implanté.

Au niveau de la décristallisation, l'agent aura avantage à être attentif au degré d'anxiété que son projet de changement risque de produire, sinon il pourrait se produire un effet « boomerang », c'est-à-dire que les gens changeront, mais dans la direction opposée à celle recherchée. En fait, il est souvent difficile de changer une situation satisfaisante pour les gens et le changement se fait rarement dans le confort. Tout changement, toute transition s'accompagnent nécessairement d'une certaine dose d'anxiété. Le changement lui-même induit cette anxiété, cette inquiétude ; toutefois, il existe un niveau optimum qui permet au changement de se concrétiser. En effet, si la charge d'anxiété est minimale, insuffisante, le système qu'il s'agisse encore une fois d'une personne, d'un groupe ou d'une organisation ne sera pas incité à changer. Si par contre, la charge d'anxiété est trop considérable il est possible, voire même probable que le système ne réussisse pas totalement sa décristallisation et préfère revenir en arrière et reprendre ainsi un comportement connu, des attitudes habituelles, sécures et satisfaisantes plutôt que de pousser plus avant dans une entreprise qui lui semblerait être une source d'anxiété considérable.

Il se joue alors une sorte d'économie de l'énergie affective qui fait en sorte que le système choisira la voie qui lui consomme le moins d'énergie, le moins d'anxiété. Si les gages de succès d'une entreprise de changement apparaissent considérables et promettent des gains affectifs ou matériels d'envergure il est vraisemblable que le système sera disposé à tolérer une plus grande charge d'anxiété dans le changement. Si le changement n'apporte que des gains minimes et des retombées plutôt marginales, le système aura un seuil de tolérance à l'anxiété beaucoup plus bas. Il s'agira donc d'un choix plus ou moins conscient pour la solution qui semble la plus économe en terme d'investissement d'énergie affective en rapport avec les gains présumés de cet investissement.

Ainsi, des agents de changement fort bien intentionnés se leurent-ils quand ils tentent de provoquer une charge d'anxiété trop considérable chez un destinataire car cela amènera un retour aux attitudes premières quand l'agent de changement aura terminé son intervention. Lorsque l'agent de changement tente de confronter le système et d'induire la charge d'anxiété nécessaire au changement celui-ci peut se cristalliser davantage autour du comportement connu et résister ainsi très efficacement aux exhortations souvent passionnées de l'agent de changement.

Les mêmes considérations s'appliquent à la phase du mouvement où on aura avantage à faciliter l'étude et l'expérimentation dans un climat qui accepte les erreurs et offre suffisamment de sécurité, de façon à limiter les tendances à la régression. Par ailleurs, il ne faudrait pas interpréter toute tendance à la régression comme négative ou comme indice d'échec. Au contraire, un épisode de régression peut parfois être salutaire à l'entreprise de changement car il peut permettre aux gens de diminuer leur charge d'insécurité et aussi d'avoir plus de perspective pour apprécier le chemin parcouru et peut-être encore de mieux percevoir les mérites du changement en cours.

Enfin, au niveau de la recristallisation, l'agent aura intérêt à faire en sorte que le changement soit effectivement intégré à l'intérieur du système et dans l'environnement du système. Cela signifie entre autres que l'agent ne se contentera pas d'amorcer le processus de changement, mais qu'en plus il le suivra de près jusqu'au jour où il sera bien établi.

2.4 La Zeitgeist

Zeitgeist est une expression allemande qui signifie littéralement l'esprit du siècle. Nous l'utilisons ici pour signifier qu'une époque peut être mûre pour un changement donné. Ainsi, plus un changement s'inscrira dans la Zeitgeist, plus l'environnement micro ou macro-social tendra à soutenir et favoriser ce changement, ce qui le rendra plus facile à implanter.

À l'inverse, si un changement ne s'inscrit pas dans la Zeitgeist, il pourra être plus difficile à implanter, surtout s'il se situe à contre-courant. À la limite, l'agent pourra en être réduit à créer cette Zeitgeist, c'est-à-dire d'agir pour aménager un climat qui ensuite facilite la venue du changement qu'il veut promouvoir. Par exemple, il y a vingt ans, les propagantistes des systèmes anti-polution auraient été où ignorés ou tournés en dérision. Aujourd'hui, on leur apporte une oreille beaucoup plus attentive; l'époque est mûre pour accueillir leurs idées.

2.5 L'opportunité d'initier un changement

La Zeitgeist réfère au fait qu'un système peut-être plus ou moins bien disposé à accueillir une idée nouvelle particulière. Toutefois, en plus du contexte général, l'agent de changement devra se soucier d'évaluer si le moment est opportun pour initier le changement qu'il projette[1]. Ici il faut entendre moment opportun au sens où les conditions propices sont réunies pour amorcer et poursuivre une action de changement. Ainsi, il se pourrait qu'on trouve dans un système donné quelque sources réelles de changement, mais que le

---

[1] Des auteurs américains ont utilisés l'expression "readiness" pour rendre compte de cet aspect. Au sens littéral, cette expressions signifie «être prêt à».

moment ne soit pas opportun pour agir car le climat général est trop détérioré pour espérer que le projet soit appuyé sur des bases solides. Ou encore, malgré que des sources de changement soient manifestes, il se pourrait qu'un système dispose de trop peu d'énergie disponible à investir dans le processus et la démarche de changement.

Questions guides

1. *Y a-t-il des sources de changement identifiables dans le système visé?*
   a) *Si oui lesquelles?*
   b) *Si non, est-il possible d'en faire émerger?*
2. *S'il y a des sources de changements, quel mécanisme pourrait être privilégié pour faciliter le processus de changement:*
   La recherche?
   L'identification positive?
   L'identification négative?
3. *La Zeitgeist semble-t-elle avantager ou désavantager l'entreprise de changement envisagée?*
4. *À quels mécanismes pourrait-on penser pour assurer l'intégration du changement:*
   À l'intérieur du système?
   Dans l'environnement?

CHAPITRE III

LE CHANGEMENT PLANIFIÉ

Le changement planifié

«Planifier, c'est augmenter son propre pouvoir en tentant de prédire et de contrôler l'incertitude».
Robert Schneider

Dans ce chapitre, nous allons esquisser les principales composantes de la démarche de changement planifié. Plus loin, ces composantes seront explorées plus en détail. En plus, on trouvera en annexe une démarche-type qui résume et articule les différentes activités à exécuter dans une démarche complète.

3.1 Une défition

On peut définir le changement planifié de la façon suivante:

> Un effort délibéré de changer une situation dite insatisfaisante, au moyen d'une série d'actions dont le choix et l'orchestration résultent d'une analyse systématique de la situation en cause.

Il se dégage de cette définition qu'on parle de changement planifié lorsque les actions qui sont posées, pour produire un changement, résultent d'une réflexion systématique sur la situation concernée. De façon plus précise, dans la tradition nord-américaine, l'expression changement planifié suppose que cette réflexion n'a pas porté uniquement sur le contenu de la situation insatisfaisante mais également sur les différents processus du système social concerné.

Ainsi, il ne suffit pas que l'on ait défini un calendrier des différentes modifications à introduire dans l'environnement pour qu'on parle de changement planifié. Il faut en plus que ce calendrier d'implantation soit issu d'une analyse rigoureuse de la situation insatisfaisante à changer et que cette analyse tienne compte des différents processus qui l'accompagnent dans l'environnement social.

Par situation insatisfaisante, nous entendons l'objet particulier qui pose problème et auquel on désire apporter des correctifs. On parlera aussi du contenu du changement pour traiter de la même réalité. Par processus, nous entendons les phénomènes et façons de faire qui ont cours dans l'environnement social. Cette distinction est très importante car la dynamique du changement s'opèrera toujours en fonction de ces deux tableaux et l'agent de changement qui négligera l'un ou l'autre négligera une partie importante de la réalité, avec la conséquence que son intervention pourra en être handicapée. En fait, nous avons observé que plusieurs agents de changement se préoccupent beaucoup du contenu du changement et peu du processus. Ils s'intéressent aux solutions aux problèmes identifiés, mais consomment trop peu de temps à comprendre les processus sociaux qui agiront au moment de l'implantation des solutions de sorte qu'ils ont relativement peu de maîtrise sur l'implantation de ces solutions, si valables soient-elles.

Par exemple, si on désirait changer les méthodes de travail dans un service donné, le contenu du changement reflèterait aux méthodes de travail alors que le processus réfèrerait au climat dans le service, aux types de relations entretenues entre les différents acteurs, aux normes qui sont vécues dans le système, aux mécanismes habituels de prise de décision, au contexte général qu'on observe au moment de l'intervention, etc. Dans un autre exemple, où pour un quartier donné on voudrait amener les citoyens à s'impliquer davantage au niveau des affaires municipales, le contenu du changement ferait référence à une participation accrue et le processus engloberait le contexte politique ambiant, la culture et les traditions des citoyens, les caractéristiques de la structure municipale, les relations entretenues entre les acteurs, les conceptions qu'on se fait de la notion d'autorité, etc.

Pour clarifier davantage, ajoutons que le contenu du changement n'est pas forcément réductible à un objet matériel. Le contenu désigne l'objet du changement et par conséquent, peut très bien être un processus particulier du système, si ce processus constitue une situation insatisfaisante. Cette distinction «contenu du changement vs processus» sera utilisée tout au long du présent ouvrage.

3.1.1 Changement planifié et développement des organisations

Ceux qui connaissent les théories et auteurs en «développement des organisations» peuvent facilement être amenés à confondre le changement planifié et le développement des organisations. En effet, très souvent la littérature nord-américaine sur le changement planifié a été produite par des auteurs identifiés au développement organisationnel[1]. Ceux-ci sont probablement d'ailleurs ceux qui ont le plus travaillé à systématiser les outils de la démarche du changement planifié. Malgré ce lien de filiation, les deux sont néanmoins différents et la pratique du changement planifié ne constitue pas l'exclusivité des praticiens du D.O.

Alors que le D.O. s'inspire d'un système de valeur particulier et privilégie certaines approches par rapport à d'autres, la pratique du changement planifié pour sa part ne préjuge pas d'une option valorielle à priori mais insiste sur la nécessité d'une préparation systématique et lucide des interventions de changement.

Par exemple, celui qui userait de moyens répressifs pourrait prétendre faire du changement planifié dans la mesure où son intervention s'appuierait d'une part sur une analyse circonstanciée des variables du système social qu'il vise et d'autre part s'articulerait à l'intérieur d'un scénario qui d'une action à l'autre conduit à l'objectif poursuivi. Et pourtant, la répression n'est pas une approche privilégiée en développement organisationnel.

Si les auteurs nord-américains n'ont pas inventé la pratique du changement planifié[2], ils ont cependant le mérite d'avoir attiré l'attention sur les phénomènes psychosociaux qui sont impliqués à chaque fois qu'on tente de modifier l'une ou l'autre des composantes d'un système social. Cette préoccupation a permis de dégager des éléments qu'il faut considérer quand on veut agir avec lucidité sur les

---

[1] Le développement des organisations (D.O.) est un modèle d'intervention auprès des organisations formelles qui en s'appuyant sur différentes théories des sciences humaines et sociales propose une vision des organisations, laquelle vision privilégie un système de valeurs particulier. Le lecteur trouvera une source d'information appréciable sur le sujet dans le volume «Changement planifié et développement des organisations», Tessier-Tellier, 1973.

[2] D'autres avant eux ont posé des actions de changement bien orchestrées.

environnements humains. Cette préoccupation s'articule d'ailleurs dans une démarche qui se veut aussi systématique que possible.

3.2 La planification du changement dans un environnement en mouvement

Ainsi, la pratique du changement planifié se caractériserait par deux aspects. Premièrement un intérêt pour les phénomènes psychosociaux qui émergent des tentatives de changement. Deuxièmement le souci de suivre une démarche de préparation des interventions qui laisse le moins de choses possibles au hasard. On est donc loin de ce qu'on pourrait appeler le changement accidentel ou spontané.

On pourrait soulever qu'il est illusoire, voire fantaisiste de prétendre «planifier» des actions de changement dans une société aussi imprévisible, aussi complexe et parfois aussi turbulente que la nôtre. On pourrait prétendre que cela équivaut à vouloir contrôler la trajectoire d'un ouragan.

Certes, nous vivons dans une société où rien n'est moins sûr que le lendemain et où de mois en mois on vogue d'un imprévu à un autre et tous les systèmes sociaux en sont affectés, aussi petits soient-ils. Toutefois, il nous apparaît qu'il est probablement plus opportun que jamais de faire preuve de rigueur et de lucidité. S'il est impossible d'appréhender avec justesse l'avenir à long terme, il est sûrement plus facile de prévoir celui à court terme. De court terme en court terme, on aura réussi à se rapprocher du long terme et des actions à court terme bien menées ne pourront qu'avoir une influence sur le long terme. En fait, si on choisit de négliger la planification des interventions, on choisit en même temps de se rendre victime des vents et marées qui pourront survenir. À l'inverse, se donner des impératifs de planification, même dans un système turbulent, augmente tout au moins nos chances d'atteindre nos objectifs, ne serait-ce qu'en partie, et ainsi nous donne un peu plus de pouvoir sur l'environnement. Dans un sens, une force que l'agent de changement doit développer dans un tel contexte, c'est d'être capable de mener une intervention dans un environnement trouble, en sachant conjuguer et s'ajuster aux aléas des situations.

Profitons de l'occasion pour préciser qu'en parlant de changement planifié on ne signifie pas qu'il faut agir seulement quand on a tout prévu, dans un scénario immuable, après avoir considéré tous les facteurs présents dans le contexte. Ce serait absurde. Dans l'esprit du changement planifié, il faut plutôt entendre qu'à chaque fois qu'on pose une action, on doit s'assurer que celle-ci découle d'une analyse éclairée de la situation, et qu'elle contribue à nous rapprocher de l'objectif poursuivi.

Est-il nécessaire d'ajouter que celui qui manifesterait un souci abusif pour une planification rigoureuse s'exposerait à l'inaction car à la limite le processus de collecte de données et d'analyse peut être tellement long que ses conclusions pourraient être dépassées au moment de les utiliser, sans compter que la prise de considération d'un trop grand nombre de facteurs peut conduire à un sentiment d'impuissance.

Il faut retenir que la démarche du changement planifié invite à développer un souci de rigueur et de rationalité dans ses actions, ce qui est essentiellement différent de la rigidité.

3.3 La démarche du changement planifié

En appuyant nos interventions sur une démarche systématique, l'intention est de rapprocher nos ambitions de la réalité du vécu quotidien. Les idées et idéaux ne peuvent avoir un impact significatif sur le réel que dans la mesure où ils sont utilisables dans ce réel, sans quoi ils risquent de demeurer à l'état de rêve. L'approche du changement planifié se veut un outil qui en opérationnalisant les intentions de changement, permet d'en vérifier le réalisme et les limites en même temps qu'il facilite le choix des moyens à prendre.

La démarche du changement planifié peut se résumer en quatres grandes phases:

1 - Le diagnostic de la situation insatisfaisante
2 - La planification de l'action
3 - L'exécution de l'action
4 - L'évaluation de l'action

Spécifions qu'il ne s'agit pas nécessairement de phases qu'auront à vivre les destinataires du changement. Ce sont plutôt les phases que devra suivre l'agent du changement pour atteindre les objectifs poursuivis.

3.3.1 Le diagnostic de la situation insatisfaisante

La phase de diagnostic inclut toutes les activités qui visent à nous fournir une vision claire de la situation insatisfaisante de façon à ce qu'on puisse l'aborder de façon lucide et réaliste.

Les activités qu'on retrouve habituellement pendant un diagnostic gravitent autour de trois dimensions:

1 - La collecte de données sur la situation;

2 - L'analyse des données;

3 - La mise en relief des éléments les plus révélateurs et les plus significatifs.

Il faut noter que contrairement à l'impression qu'on a pu tirer de nos contacts avec la tradition médicale, le diagnostic ne constitue pas un rapport qui présente les conclusions de l'analyse. Ici, il faut comprendre la diagnostic comme une série d'activités qui permettront de déboucher sur une vision plus claire de la situation. L'expression a donc un sens dynamique plutôt que statique. Le diagnostic n'est pas qu'un rapport final, mais englobe toute la démarche de clarification de la situation.

Dans la perspective du changement planifié, le diagnostic de l'intervenant ne devrait jamais être considéré comme terminé. Dans la mesure où il est rare qu'on puisse prétendre avoir une perception complète et certaine de la réalité, il est souhaitable que l'intervenant conserve une attitude ouverte à l'endroit de ses perceptions de façon à les ajuster tout au long de la démarche d'intervention. De plus, si on accepte que la réalité des systèmes sociaux est en mouvement continuel, l'intervenant aura avantage à être attentif à ces mouvements de façon à maintenir à jour sa perception de la situation insatisfaisante. On l'aura compris, l'utilité de rester continuellement en état de diagnostic fera en sorte qu'on pourra toujours mieux adapter nos actions aux différentes circonstances. Il vaut sûrement mieux corriger des éléments à une planification avant coup, que de regretter des gestes après coup, faute de ne pas avoir eu une attitude suffisamment ouverte à l'endroit de nos perceptions.

Certes, il n'est pas à prévoir que sur de courtes durées les fluctuations de la situation en cause soient telles qu'elles nous obligent à reprendre l'ensemble de notre diagnostic. Le plus souvent, il ne s'agit que de corrections à apporter. Dans le même esprit, il faut considérer qu'à l'intérieur de la démarche d'intervention, les différents gestes posés peuvent avoir eu un impact non négligeable sur la situation ce qui nous obligera à modifier notre perception en conséquence. Par exemple, le fait de recueillir des données auprès des gens visés par le changement peut avoir pour effet de les rendre plus défensifs, insécures ou plus réceptifs, accueillants à l'endroit de l'intention de changement et notre diagnostic doit alors tenir compte de ces phénomènes.

Un diagnostic complet devrait normalement posséder les caractéristiques suivantes:

- Définir la situation insatisfaisante et en quoi elle l'est;
- Constater les écarts entre la situations insatisfaisante et la situation désirée;
- Expliquer ces écarts;
- Tenir compte des liens et des impacts réciproques entre le système concerné et son environnement;
- Établir la perception que les gens touchés se font de la situation;
- Tenir compte des ressources disponibles dans le système;
- Tenir compte des ressources et des biais de l'agent de changement;
- Considérer la conjoncture générale;
- Établir la perméabilité du système au changement.

De plus, une situation insatisfaisante dans un système organisationnel peut souvent s'expliquer de diverses façons. Aussi pour être utile le diagnostic doit s'attarder aux facteurs sur lesquels l'agent de changement est capable d'intervenir, en plaçant par ailleurs les autres facteurs en toile de fond pour permettre d'avoir une meilleure perspective de l'impact possible.

Par exemple, il se pourrait bien qu'un facteur explicatif important dans un problème donné soit la domination et l'exploitation d'une classe sociale par une autre ou encore les tendances actuelles en Occident dans la gestion du personnel. Sans vouloir discuter de la validité de ces éléments de diagnostic, il convient de reconnaître qu'à court terme, l'agent de changement a peu de prise sur ceux-ci. Il n'est pas capable d'intervenir en n'utilsant que cette partie de son analyse. Aussi le diagnostic aura-t-il avantage à porter surtout sur les informations utilisables afin d'éviter d'être submergé sous une masse d'informations peu différenciées.

Les activités de diagnostic toucheront à deux niveaux de la réalité: le contenu de la situation insatisfaisante et le processus qui l'accompagne. De façon générale, les principaux instruments utilisés pour procéder au diagnostic, sont le modèle du champ de forces de Kurt Lewin[1], le processus rationnel de solution de problème[2] ainsi que des grilles d'analyse de la psychologie sociale, dont les théories sur les groupes, les attitudes et la motivation. On trouvera à la figure 3.1 une illustration qui synthétise les activités liées au diagnostic.

C'est donc dire que les activités de diagnostic devraient s'appuyer sur deux préoccupations fondamentales: d'une part procéder à une étude systématique de la situation insatisfaisante de façon à développer des solutions appropriées; d'autre part, procéder à une étude du contexte pour en dégager les particularités et ainsi faire appel à des moyens et des modalités d'intervention adéquats.

3.3.2 La planification de l'intervention

La planification c'est la phase où l'intervenant choisira et élaborera les moyens appropriés pour agir sur la situation qu'il veut changer.

---

[1] Lewin, Kurt. *Field Theory in Social Science*. New York: Harper, 1951.

[2] Désormais P.S.P. dans le texte.

FIGURE 3.1

Schéma-synthèse sur le diagnostic

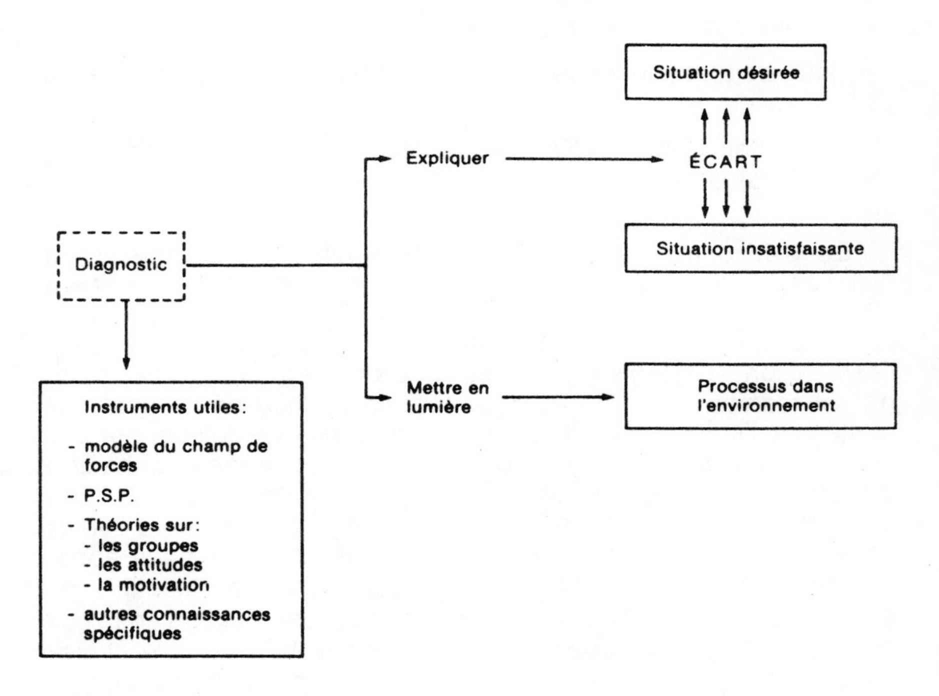

Il va de soi que normalement le choix des moyens d'action devrait se faire en fonction des différents éléments qui auront été mis en relief lors du diagnostic. Si l'intervenant ne se soucie pas de s'appuyer sur les éléments dégagés lors du diagnostic, celui-ci n'aura été qu'un vain exercice intellectuel.

Alors que le diagnostic se caractérise par la recherche, l'analyse, la réflexion, l'interrogation, pour sa part la planification se caractérise par la décision, la conception, la préparation.

Les activités qu'on retrouve habituellement dans la démarche de planification sont:

- la définition des objectifs
- l'élaboration des stratégies

- le choix des moyens d'action
- l'identification des acteurs concernés par l'action
- l'établissement d'un plan d'action
- la conception et la préparation des outils nécessaires à l'action
- la conception et l'élaboration des instruments de contrôle et d'évaluation.

Dans le domaine du changement planifié, le plus souvent la planification a un caractère stratégique, d'où le fait qu'on parlera fréquemment de planification stratégique. Dans nos moeurs nord-américaines, on a souvent conféré une signification négative à l'expression «stratégie» en l'associant spontanément à clandestinité et manipulation. Si ces deux façons de faire constituent des stratégies, l'inverse par ailleurs n'est pas vrai et on doit donner une définition plus neutre à cette notion. Nous présenterons au chapitre VIII une définition de la notion stratégie. Pour l'instant, nous nous contenterons de dire qu'élaborer une stratégie c'est d'abord choisir entre plusieurs moyens, ceux qui dans le contexte nous apparaissent être les plus efficaces en regard de notre objectif et du contexte particulier et c'est ensuite aménager ces moyens entre eux de façon à ce qu'ils produisent l'effet recherché. Par exemple, choisir de faire participer les gens à la découverte d'une solution constitue une stratégie car on aura possiblement présumé qu'ainsi la solution trouvée sera d'une plus grande qualité ou encore sera plus facile à implanter.

Présenté ainsi, il n'est pas étonnant que l'élaboration d'une stratégie constitue souvent une opération centrale dans la phase de planification. Une fois la stratégie esquissée, c'est souvent elle qui conditionnera le choix des moyens d'action et l'orientation du plan d'action.

Dans l'esprit où on suggère que l'intervenant doit adopter une attitude ouverte à l'endroit du diagnostic, de la même façon il doit être prêt à reconsidérer les différents éléments de sa planification si le contexte change ou si certaines actions s'avèrent infructueuses par rapport aux prévisions. C'est là un indice important de la souplesse requise dans la planification d'une intervention de changement planifié.

D'ailleurs, la planification et plus spécialement la stratégie doivent être envisagées comme une hypothèse de travail qu'il faut régulièrement réévaluer au contact de l'expérience. En effet, lorsqu'on décide d'un plan d'action donné, c'est avec l'impression plus ou moins assurée (dépendant de la confiance qu'on a dans les résultats de notre diagnostic) que les moyens et la séquence retenus nous permettront d'atteindre les objectifs poursuivis. Or il se peut très bien qu'en cours d'intervention, on s'aperçoive que ce n'est pas le cas. Il faut alors invalider notre hypothèse et reconsidérer notre plan d'action pour lui donner une orientation plus appropriée.

Par exemple, prenons le cas d'un projet où on voudrait agir sur le phénomène de l'alcoolisme qu'on jugerait trop élevé dans une organisation donnée. Imaginons qu'on ait retenu au niveau du diagnostic que les alcooliques sont des gens qui ont un grand besoin de confier leur vécu à d'autres et que pour satisfaire ce besoin, on ait décidé de mettre en place un service de consultation individuelle, avec toute la discrétion voulue. Si, à l'expérience, peu de personnes alcooliques devaient recourir à ce service, on pourrait entre autres conclure qu'on a sur-évalué l'intensité du besoin de se confier chez les alcooliques et que d'autres facteurs sont sûrement au moins aussi importants ou encore que ce besoin demande à être satisfait dans un contexte bien particulier. Il faudrait donc réévaluer le plan d'action, suite à une erreur de diagnostic.

Tout comme pour le diagnostic, la planification portera sur deux niveaux: celui du contenu du changement et celui des processus dans l'environnement.

Au niveau du contenu, on veillera à clarifier les composantes des solutions trouvées, à concevoir et élaborer les outils, techniques, instruments nécessaires pour qu'on puisse implanter ces solutions. Par exemple, il pourrait s'agir de concevoir les outils qui accompagnent un nouveau mode de production ou encore de préparer les volumes et les méthodes didactiques qui seront utilisés dans une nouvelle approche pédagogique. En d'autres termes, on pourrait dire qu'il s'agit de l'innovation.

Au niveau du processus, on tentera de trouver la façon d'introduire et d'implanter les solutions qui soit la plus satisfaisante et la plus efficace. Ainsi, on cherchera à définir la durée sur laquelle l'intervention s'étendra, à identifier les acteurs avec qui il faudra transiger, à développer les approches qu'il faudra privilégier. En d'autres termes, il s'agit de l'implantation de l'innovation.

Reprenons encore une fois l'exemple d'un projet d'intervention auprès des alcooliques et posons qu'on a choisi d'organiser des rencontres régulières où on aidera les gens à se donner du support dans la sobriété. Au niveau du contenu, on devra préparer des guides d'information, des techniques d'auto-contrôle, des règles de vie à suivre, des ressources médicales pour fins de consultation, des régimes alimentaires, des données scientifiques sur les causes de l'alcoolisme et les différentes façons de l'éliminer, etc. Au niveau du processus, on devra prévoir des approches qui faciliteront l'acceptation des moyens proposés, qui mettront les gens en confiance avec les intervenants, qui inciteront les gens à poursuivre leur démarche, etc.

Prenons maintenant l'exemple d'un projet d'implantation de la gestion par objectif dans une organisation donnée. Au niveau du contenu, on devra se doter de connaissances sur le modèle, on devra adopter un modèle particulier adapté à l'organisation, on devra construire ou trouver les différents tableaux, grilles qui seront utilisés, on devra définir des procédures à suivre pour le fonctionnement du système, etc. Au niveau du processus, on devra choisir des approches pour présenter le projet au personnel, on devra prévoir des mécanismes pour le renseigner et le former au système choisi, on devra penser à des ressources pour aider les gens à bien utiliser le système durant son implantation, on devra prévoir un échéancier transitoire qui permettra graduellement d'abandonner l'ancien système, etc.

Ainsi la planification posera les deux questions qui suivent et qui sont schématisées à la figure 3.2:

- au niveau du contenu: comment opérationnaliser la(les) solution(s)?
- au niveau du processus: comment implanter la solution dans le système social?

Pour terminer, signalons une dernière particularité de la planification. Dans un environnement aussi mouvant que le nôtre, il est presque utopique de vouloir articuler une planification définitive

FIGURE 3.2

Schéma-synthèse sur la planification

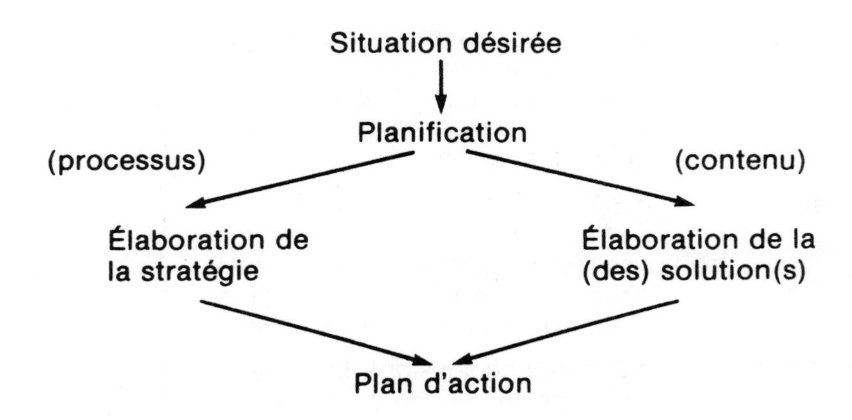

dans une perspective à long terme. Plusieurs évènements peuvent survenir en cours d'intervention qui ébranleront notre plan d'action. Par conséquent, il serait probablement plus réaliste de concevoir d'une part, un plan d'action bien articulé pour le court terme (c'est habituellement l'espace de temps qu'on peut le mieux prévoir), d'autre part un plan d'action qui pour le moyen terme identifie les principales actions à poser, sachant que celles-ci devront être réévaluées et précisées le moment venu et enfin un plan d'action qui pour le long terme relève des types d'actions ou des orientations qu'il faudra considérer lorsqu'on se rapprochera de cette échéance.

Dans cette perspective, la planification, tout comme le diagnostic, prend l'allure d'une activité continue qui, si elle laisse des ouvertures pour l'avenir éloigné, cherche à être aussi systématique que possible pour l'avenir rapproché. Donc, souvent on devra se contenter d'un plan d'action général pour le long terme, mais on veillera à bien articuler l'échéance immédiate.

La figure 3.3 illustre que plus on se rapproche d'une échéance, plus le plan d'action doit être précis, alors qu'on peut se permettre d'avoir un plan plus imprécis pour les échéances plus lointaines. Imaginons par exemple que chacun des trois temps indiqués dans la figure corresponde au scénario qui suit:

Dans un centre hospitalier où on voudrait, à long terme, implanter un nouveau plan de soin, on pourrait avoir le calendrier d'action suivant :

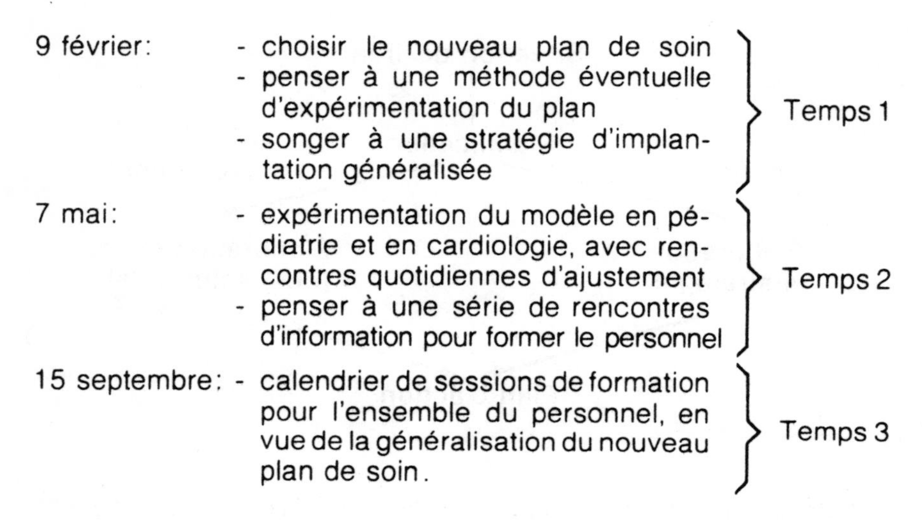

9 février:	- choisir le nouveau plan de soin - penser à une méthode éventuelle d'expérimentation du plan - songer à une stratégie d'implantation généralisée	Temps 1
7 mai:	- expérimentation du modèle en pédiatrie et en cardiologie, avec rencontres quotidiennes d'ajustement - penser à une série de rencontres d'information pour former le personnel	Temps 2
15 septembre:	- calendrier de sessions de formation pour l'ensemble du personnel, en vue de la généralisation du nouveau plan de soin.	Temps 3

FIGURE 3.3

Évolution d'une planification dans le temps

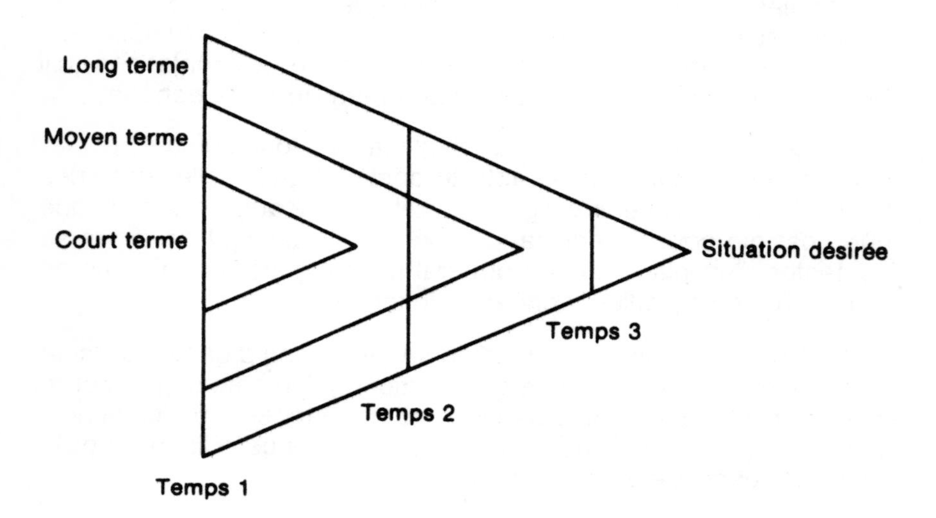

3.3.3 L'exécution

L'exécution, comme on s'en doute, est à proprement parler, le moment où on met en oeuvre le plan d'action qu'on s'est tracé.

Dans la mesure où on sera conscient que le diagnostic a pu laisser des failles dans notre perception de la situation en cause et dans la mesure où on aura considéré notre planification comme une hypothèse de travail, on comprendra que l'exécution prend d'une certaine façon la forme d'un expérimentation où le degré de succès sera variable selon les circonstances. Et ici, en plus des défaillances ou des qualités du diagnostic et de la planification qui pourront conditionner les chances de succès, il faut également compter sur la plus ou moins grande habileté de ceux qui exécuteront le plan d'action.

Soulignons que pour supporter l'exécution, on aura souvent avantage à avoir prévu des mécanismes de contrôle qui nous permettront de vérifier périodiquement si le plan d'action est respecté et si l'expérience acquise nous indique qu'on est en voie d'atteindre nos objectifs. Si tel n'est pas le cas, il faut alors reconsidérer diagnostic et planification afin de corriger la trajectoire.

3.3.4 L'évaluation

L'évaluation soulèvera principalement les deux questions qui suivent: dans quelle mesure les actions engagées ont-elles permis d'atteindre les objectifs poursuivis et quels sont les facteurs responsables de ce résultat. L'évaluation consiste donc à décrire les résultats obtenus, à les mettre en relation avec les objectifs qu'on s'était fixés et à chercher les facteurs ou phénomènes qui expliquent ces résultats.

D'une certaine façon l'évaluation constitue un nouveau diagnostic car elle fournit un nouveau portrait de la situation et le cas échéant décrit l'écart qui pourrait subsister entre la situation actuelle et la situation désirée.

Dans le cas où les objectifs ne seraient pas entièrement atteints, l'intervenant aura à choisir entre différentes options, l'une de celles-ci étant de modifier ses objectifs pour se contenter du résultat obtenu, une autre étant d'élaborer une nouvelle planification pour poursuivre la démarche de changement.

Ainsi, l'évaluation servira à deux fonctions. D'une part elle amènera à tracer un bilan de l'intervention et d'autre part elle fournira à l'intervenant de l'information pour décider si la démarche d'intervention doit être interrompue ou poursuivie.

Ici encore l'évaluation se situera aux deux niveaux du contenu du changement et du processus. Au niveau du contenu on cherchera à savoir si les solutions retenues étaient appropriées pour corriger la situation insatisfaisante. Au niveau du processus on se demandera si les approches, les stratégies, moyens utilisés pour implanter les solutions étaient adéquats.

Imaginons par exemple que pour des raisons de diminution de la clientèle étudiante, les administrateurs d'une commission scolaire décident de réaménager le fonctionnement d'une école sans impliquer les enseignants et les parents. Six mois plus tard, lors de l'évaluation, les administrateurs concluent que le changement est effectivement implanté et que les économies prévues pourront se matérialiser. Toutefois ils concluent également que l'approche utilisée a produit beaucoup d'inquiétudes, d'insatisfactions, de querelles qui ont consommé une grande quantité d'énergie, de temps et d'argent et qu'on aurait peut-être pu éviter ces difficultés en procédant autrement, sans compter que le climat dans le système social s'est détérioré et qu'il faudra plusieurs mois avant qu'il ne se rétablisse. Ainsi, au plan du contenu, l'objectif aura été atteint, mais au plan du processus, on aura observé une détérioration significative.

3.4 Notion de phase

Pour parler de diagnostic, de planification, d'exécution et d'évaluation, nous avons volontairement utilisé l'expression «phase», de préférence à l'expression «étape». La notion d'étape évoque un cloisonnement chronologique qui suppose qu'une action ne peut-être posée si une autre n'est pas terminée.

La réalité du changement planifié est incompatible avec une telle vision car étant donné la complexité de l'intervention, les quatre types d'activités (diagnostic, planification, exécution, évaluation) sont en interaction constante et il n'est pas rare que certaines se produisent concurrament. Ainsi on peut facilement imaginer une situation où le diagnostic n'étant pas terminé, on engagerait déjà certaines activités de planification pour opérationnaliser des actions qui s'annoncent. C'est la raison pour laquelle on utilise la notion de phase, qui en s'inspirant des sciences physiques, évoque que ces activités peuvent se manifester concuramment.

En fait, à la limite, on pourrait dire que ces quatre phases, au-delà de toute démarche ordonnée, correspondent d'abord et avant tout à des types d'activités mentales et motrices différents. Dans cet esprit, il faut envisager la démarche du changement planifié davantage comme une façon de travailler que comme une procédure à suivre point par point.

3.5 Caractère micro et macroscopique de la démarche du changement planifié

Jusqu'ici, la démarche du changement planifié (intégrant l'attention au processus et l'attention au contenu) a été présentée de façon globale et macroscopique en ce sens qu'on a inséré la démarche d'implantation d'un changement donné à l'intérieur de quatre grandes phases. Toutefois, il ne s'agit là que d'une façon de présenter la démarche d'intervention et celle-ci peut et doit même être utilisée autant à un niveau macroscopique que microscopique. En effet, à chaque fois qu'à l'intérieur du scénario d'intervention on aura à poser une action, on pourra s'inspirer de cette démarche pour la préparer. En d'autres termes, pour chaque action significative posée, on pourra procéder aux opérations de diagnostic, de planification, d'exécution et d'évaluation.

De cette façon, la démarche globale d'implantation d'un changement se présente comme une succession de cycles de planification, l'évaluation de chaque action alimentant le diagnostic de la suivante. D'ailleurs insistons pour bien différencier l'expression «action» de l'expression «exécution». L'exécution réfère à la phase où on procède à l'implantation des solutions retenues et élaborées aux phases précédentes. L'action réfère à tout geste qui est posé auprès du système social dans le cadre de l'intervention. par exemple le fait de procéder à un sondage, à l'intérieur de la phase de diagnostic, constitue une action auprès du système social, sans pour autant s'inscrire dans la phase d'exécution.

On trouvera une représentation schématique de la démarche du changement planifié à la figure 3.4.

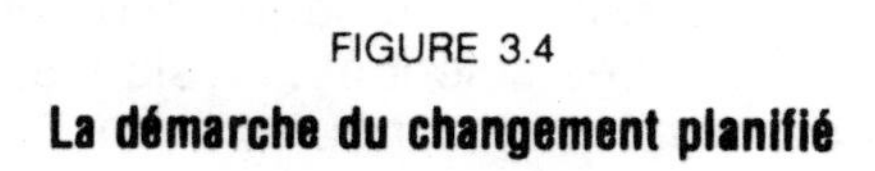

FIGURE 3.4

La démarche du changement planifié

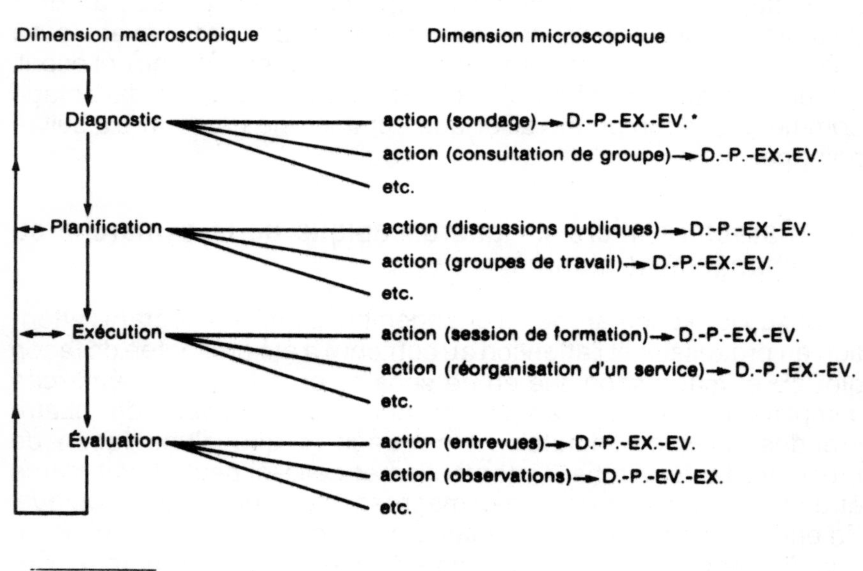

* D.: Diagnostic
P.: Planification
EX.: Exécution
EV.: Évaluation

3.6 Changement planifié et innovation

Enfin, terminons ce chapitre par la distinction qu'il faut établir entre le changement planifié et l'innovation. L'innovation est l'action de trouver, de découvrir, d'inventer quelque chose de nouveau[1] par rapport à un environnement donné ou un problème quelconque. En

[1] Souvent à partir d'un P.S.P. plus ou moins systématique.

soi donc, l'innovation ne constitue pas une intervention sur un système social ou organisationnel et c'est une activité qui à la limite peut se faire sans interaction directe avec le système concerné. Le changement planifié pour sa part, réfère à «l'implantation» de l'innovation, ce qui suppose qu'il faut intervenir sur le système social.

Par exemple, le fait d'élaborer une nouvelle méthode de production peut constituer une innovation mais celle-ci ne sera pas considérée comme projet de changement social tant qu'on n'aura pas manifesté l'intention d'implanter cette nouvelle méthode. Lorsqu'on manifeste une telle intention, on commence alors à véhiculer un désir de changement social dans l'organisation et on pourra alors faire appel à la démarche du changement planifié pour implanter cette innovation que constitue ladite méthode de production.

Le changement planifié constitue donc en quelque sorte un instrument qu'on peut utiliser pour implanter des innovations, en mettant l'accent sur la démarche à suivre pour maximiser nos chances de succès dans l'implantation.

Toutefois, la démarche de changement planifié, ne commence pas nécessairement qu'au moment de l'implantation de l'innovation. En effet, on peut recourir à la démarche du changement planifié dès le moment où on définit le problème par rapport auquel on veut innover et ici les raisons peuvent être variées pour le faire. Entre autres, on peut retenir quatre raisons qui souvent nous justifieront de le faire:

1 - on peut souhaiter associer les destinataires à la définition du problème et à la recherche de solutions afin que plus tard les destinataires se perçoivent comme partenaires de l'implantation plutôt que victimes;

2 - on peut souhaiter profiter de la perception du problème par les destinataires pour avoir une vision plus vaste et plus éclairée de la situation insatisfaisante;

3 - on peut souhaiter profiter de la contribution des destinataires pour échafauder des solutions qui soient de plus grande qualité;

4 - on peut souhaiter associer les destinataires au choix d'une solution pour s'assurer que cette solution soit compatible avec les ressources et contraintes du milieu.

Donc, si l'innovation et le changement planifié sont de deux ordres différents, on pourra cependant recourir à la démarche du changement planifié durant le processus d'innovation pour faciliter son implantation éventuelle.

CHAPITRE IV

LA FORMATION DES ATTITUDES ET LEUR CHANGEMENT

La formation des attitudes et leur changement[1]

Changer, c'est souvent détruire ce qui existe, du moins en partie, pour ensuite construire autre chose.

Derrière la plupart des comportements sociaux, on trouvera un certain nombre d'attitudes que véhiculent les individus. Par conséquent, quand on veut modifier des comportements, directement ou indirectement on essaie sans toujours en être conscient de changer les attitudes qui supportent ces comportements. Aussi, nous apparaît-il important d'esquisser quelques concepts sur la formation et le changement des attitudes pour aider l'agent de changement à avoir une compréhension plus éclairée des phénomènes sur lesquels il agit. Ces concepts devraient d'ailleurs permettre de mieux saisir la nature des résistances au changement. Loin de prétendre être exhaustif, ce chapitre s'attardera aux notions les plus pertinentes pour celui qui s'intéresse au changement.

4.1 Attitudes et valeurs

Pour des fins de compréhension, nous allons d'abord clarifier les notions de valeur et d'attitude, celles-ci étant différentes, quoique liées.

On peut définir l'attitude comme étant une prédisposition à réagir d'une façon positive ou négative à l'endroit de différents aspects de l'environnement. L'attitude correspond en quelque sorte à la réaction spontanée qu'a un individu face à un objet ou une situation donnée: j'aime - j'aime pas; je suis attiré - je suis repoussé; ça me plaît - ça me déplaît; j'admire - je rejette.

---

[1] La rédaction de ce chapitre a été en bonne partie inspirée du volume *Individual in society* de Kretch D., Crutchfield R.S., Ballachey, E.L., New York: McGraw-Hill, 1962.

On dit de l'attitude qu'elle est une prédisposition à réagir en ce sens qu'elle ne reflète pas nécessairement le comportement qu'aura l'individu mais qu'elle exprime la réaction intérieure quasi-automatique qui sera déclenchée chez l'individu, d'où une certaine constance. On dit également qu'elle est une prédisposition à réagir de façon positive ou négative à l'endroit de différents aspects de l'environnement parce que la réaction qu'elle exprime témoigne de l'appréciation qu'en fait l'individu. Par exemple, celui ou celle qui a des attitudes défensives à l'endroit de la gestion participative ressentira sensiblement la même réaction intérieure de méfiance chaque fois que ce sujet sera évoqué. Donc cette attitude, en plus d'être constante, exprime une appréciation. Une attitude peut être identifiée et mesurée de façon impressionniste ou de façon rigoureuse; le lecteur intéressé à la mesure des attitudes pourra consulter la figure 4.1.

Une valeur pour sa part constitue une croyance, une philosophie quant aux façons d'être et d'agir qu'on priviliégie dans notre environnement. C'est une façon de concevoir les choses telles que nous souhaiterions qu'elles se passent. En fait, le plus souvent on parle de système de valeur chez un individu ou un groupe, pour ainsi cerner l'ensemble des croyances de cet individu. On dit par exemple de quelqu'un qu'il a des valeurs humanistes pour indiquer qu'il croit en la possibilité et la nécessité de faire la promotion du respect de l'humain dans les sociétés.

Habituellement deux caractéristiques distinguent la notion d'attitude de la notion de valeur. Alors qu'une valeur a une portée plutôt générale, une attitude a un caractère très proche de l'action et par conséquent est plus circonscrite. Alors que la valeur a un caractère plus abstrait, l'attitude réfère à des réalités assez concrètes. Il existe néanmoins un lien d'interdépendance entre les attitudes et les valeurs, les premières étant largement conditionnées par les secondes.

4.2 La nature des attitudes

On considère généralement que les attitudes sont formées de trois composantes interdépendantes: une composante cognitive, une composante affective et une composante comportementale[1].

---

[1] Kretch, D.; Crutchfield, R.S., Ballachey, E.L., *Individual in Society*. New York, McGraw Hill, 1962, p. 140.

4.2.1 La composante cognitive

La composante cognitive d'une attitude réfère aux idées et croyances que nous entretenons à l'endroit de l'objet de l'attitude. Par exemple les idées que quelqu'un entretient à l'endroit de la cigarette constituent la composante cognitive de son attitude à l'endroit du tabagisme: il peut croire que l'usage de la cigarette est nocif à la santé (plus ou moins) ou il peut être convaincu qu'il n'y a là aucun danger. On parle de composante cognitive car celle-ci se situe au niveau de l'intelligence, au niveau des strutures d'acquisition de connaissances. Ainsi, la composante cognitive d'une attitude est appuyée sur la qualité, la quantité et la «crédibilité» de l'information détenue en rapport avec l'objet concerné.

4.2.2 La composante émotive

La composante émotive réfère aux émotions, sentiments éprouvés à l'endroit de l'objet concerné et qui s'expriment en termes de «j'aime - j'aime pas», «plaisant - déplaisant», etc. Par exemple quand quelqu'un dit qu'il n'aime pas le travail de groupe et qu'il exprime par là une «sensation vécue» (par opposition à une croyance), c'est la composante émotive de son attitude à l'endroit du travail de groupe qui vient de se manifester.

4.2.3 La composante comportementale

La composante comportementale de l'attitude correspond à la prédisposition à agir d'une façon donnée face à l'objet de l'attitude. Par exemple, celui qui entretiendrait une attitude négative à l'endroit du travail de groupe, devrait normalement manifester des comportements d'évitement ou de fuite lorsque des occasions de travail de groupe se présentent. La composante comportementale se situe donc au niveau des gestes que l'individu est spontanément porté à poser face à l'objet de son attitude. Ajoutons que le comportement observé ne correspond pas toujours à la composante comportementale, car différents motifs pourront amener l'individu à agir autrement qu'il en aurait envie.

4.2.4 La nature systémique des attitudes

Les trois composantes des attitudes, loin de constituer trois réalités isolées, sont au contraire en interaction et en interdépendance les unes avec les autres, ce qui nous amène à dire qu'elles fonctionnent de façon systémique: ce sont trois sous-systèmes du système «attitude».

Étant en interaction, on aura compris que les trois composantes s'influenceront mutuellement pour ainsi se renforcer ou être en conflit. En plus, dépendant des cas, l'une ou l'autre des composantes pourra faire figure de dominante, c'est-à-dire aura plus d'influence, de poids que les autres.

Ces aspects sont d'une grande importance pour l'agent de changement car ils lui indiquent que pour avoir une portée significative sur les attitudes des destinataires du changement, il aura avantage à agir le plus possible sur les trois composantes, à savoir les croyances, les sentiments et les dispositions à l'action. Une intervention sur une seule des trois composantes pourrait connaître un impact limité à cause de l'influence des deux autres.

4.3 Quelques caractéristiques des attitudes

4.3.1 Les attitudes groupées en constellation

En général, les attitudes sont en relation les unes avec les autres On pourrait les visualiser comme une constellation d'étoiles, occupant des positions les unes par rapport aux autres et ayant des degrés d'inter-influence différents. Encore une fois, nous pouvons dire que les attitudes se présentent comme un système. On parlera donc d'un système d'attitudes, chacune d'elles représentant un sous-système et ayant avec les autres des liens systémiques plus ou moins forts, plus ou moins intenses.

On peut en déduire que lorsqu'un agent de changement s'adresse à une attitude, indirectement à cause des liens d'interdépendance, il risque d'affecter d'autres attitudes. Cela peut expliquer que parfois les gens se montrent très résistants à l'endroit de changements qui au premier abord pourraient paraître mineurs à l'agent de changement.

Par exemple, prenons les attitudes à l'endroit de la structure familiale. Si on invite un homme à changer son attitude vis-à-vis son rôle de père, on l'oblige en même temps à modifier sa conception de

FIGURE 4.1

La mesure des attitudes

Commençons d'abord par dire que l'attitude est un concept qui tente de circonscrire certains traits psychosociaux de la personne.

On cherche habituellement à clarifier le contenu d'une attitude pour ensuite pouvoir l'identifier chez différentes personnes, à partir d'instruments de mesure qu'on appelera des échelles d'attitude. On peut trouver différents types d'échelles d'attitudes qui correspondent à autant de manière de circonscrire une ou des attitudes données. Les différentes échelles d'attitudes qui correspondent à autant de manières de circonstentent de situer jusqu'à quel point la personne se fait une évaluation positive ou négative d'un objet ou d'un ensemble d'objets donnés. Ainsi on peut situer l'attitude d'une personne ou d'un groupe ou d'un organisation sur une échelle qui va d'une évaluation négative à une évaluation positive en passant par une position centrale qui correspond en quelque sorte à la neutralité.

Prenons par exemple une échelle d'attitude en 9 points par rapport à l'usage de la cigarette:

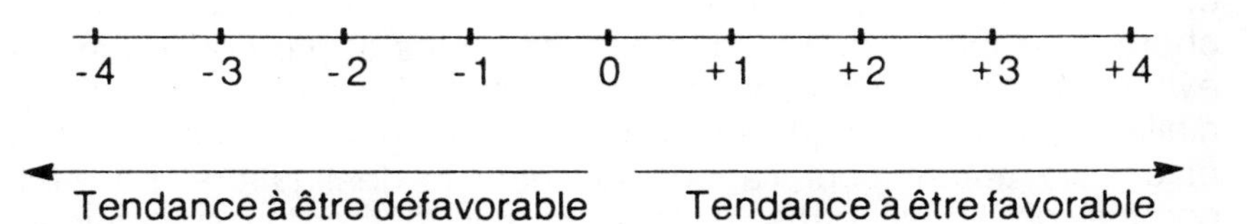

À partir de différentes réactions observées chez un individu, compilées à l'aide de méthodes mathématiques et statistiques, nous pourrions situer cet individu sur l'un des 9 points de cette échelle et ainsi être renseignés sur son attitude face à la cigarette.

Lorsque le praticien du changement tente d'appréhender les attitudes d'un système social quelconque, il n'utilisera pas nécessairement des outils de mesure aussi rigoureux, mais c'est néanmoins le genre de modèle qu'il aura en tête pour se faire une image fidèle du système concerné.

l'éducation des enfants, sa conception de l'autorité, son attitude à l'endroit des modes de communication, sa représentation de la vie de couple, etc. À cause du phénomène d'interdépendance, c'est non seulement une attitude qui est affectée, mais tout un système d'attitudes.

4.3.2 La consonnance dans un système d'attitude

Dans le chapitre sur le modèle systémique, on a déjà parlé de la tendance à l'homéostasie. Au niveau des systèmes d'attitudes on parlera de consonnace pour traduire le même phénomène.

Prenant pour acquis que les attitudes groupées en constellation sont dans une situation d'interdépendance, elles auraient tendance à rechercher un certain état d'harmonie entre elles de façon à procurer à la personne un degré de confort au moins tolérable, sinon satisfaisant. Cette harmonie s'obtiendrait par l'atteinte d'une certaine compatibilité entre les attitudes qu'on appelle consonnance. Ainsi, des attitudes seront consonnantes lorsqu'elles ne seront pas contradictoires entre elles, en allant jusqu'à se renforcer les unes les autres.

L'humain est ainsi fait qu'en général il préfère et recherche le confort psychologique plutôt que l'anxiété. C'est ainsi qu'il cherchera à adopter des attitudes consonnantes et par conséquent à éviter les situations qui compromettraient cette consonnance. C'est d'ailleurs cette réalité qui rend souvent le changement d'attitude long et difficile autant pour l'agent que pour le destinataire. En effet, comme on l'a vu dans le chapitre sur le modèle systémique, vention sur une attitude bien menacer la tendance à l'homéostasie (consonnance) de l'ensemble du système et générera à coup sûr des résistances qui exprimeront la volonté de maintenir l'état d'équilibre actuel.

Il faut remarquer que cet état de consonnance n'est pas toujours atteint de façon satisfaisante et que souvent l'individu possède des attitudes conflictuelles ou peu compatibles. Lorsque l'individu en est conscient, cette situation crée un état d'inconfort chez lui. C'est ce qu'on appelle « la dissonnace cognitive ». Au delà d'un certain seuil, l'individu sera incité à trouver des moyens pour réduire cette dissonnance. Dans certains cas il fera en sorte de rendre ses attitudes plus consonnantes en en changeant l'une ou l'autre. Dans d'autres cas, il s'emploiera à trouver des arguments convaincants qui lui permettront de faire coexister les attitudes en question sans vivre de tension.

Imaginons par exemple que je sois particulièrement soucieux de ma santé physique et que par ailleurs je sois un usager fidèle de l'alcool qui a la réputation d'être nocif à la santé. Lorsque je deviens conscient de cette contradiction, je ne peux éviter de me sentir tiraillé. Je peux alors changer mes attitudes: abandonner l'alcool ou cesser de valoriser la santé. Ou encore, ce qui sera peut-être plus facile, je peux me mettre à croire que l'alcool n'est pas si nocif pour la santé, qu'un seul écart par rapport à ma norme est largement compensé par toutes les autres mesures de santé que j'ai prises, que j'ai un organisme particulièrement tolérant à ce produit, ou tout simplement «qu'il faut bien mourir de quelque chose» comme le veut le dicton populaire. Quoiqu'il en soit, j'aurai trouvé un moyen de réduire l'inconfort résultant de la dissonnance cognitive, et pas nécessairement en changeant!

4.3.3 La consistance d'un système d'attitude

On dira d'un système d'attitudes qu'il est consistant lorsque les trois composantes des attitudes seront convergentes, c'est-à-dire s'exprimeront sensiblement de la même façon par rapport à un objet. Plus les composantes cognitives, affectives et comportementales d'une attitude seront conflictuelles entre elles par rapport à un objet donné, moins l'attitude sera consistante.

Quelqu'un qui se sentirait facilement coupable lorsqu'il n'est pas occupé à un travail quelconque (composante affective), qui en plus aurait tendance à organiser sa vie en fonction du travail (composante comportementale) mais qui par ailleurs tendrait à présenter le travail comme quelque chose d'inutile, d'aliénant, de secondaire dans la vie d'un homme, ferait évidemment preuve d'un degré de consistance faible dans son attitude face au travail.

Ajoutons que souvent le degré de consistance d'une attitude est relié directement à son degré d'extrémisme: plus une attitude est extrême, en termes favorable ou défavorable, plus elle risque d'être consistante.

4.3.4 Le système d'attitude et son environnement

La formation d'une attitude n'est pas dissociable de l'environnement où baigne l'individu. Toujours dans la perspective systémique, on peut dire que les attitudes d'une personne constituent un système en interaction avec les autres systèmes ambiants et par conséquent est forcément affecté par les particularités de ces autres systèmes et ce, vraisemblablement dans une recherche d'équilibre satisfaisant (consonnance).

Ainsi, non seulement les attitudes tendent-elles à être en consonnance interne (au sein du système d'attitudes), mais également elles vont tendre à être en consonnance avec leur environnement. De cette tendance, il résultera une transaction avec l'environnement où d'une part l'individu verra ses attitudes influencées par le milieu ambiant et où d'autre part l'individu tentera dans la mesure du possible de trouver ou de s'aménager un environnement qui soit suffisamment compatible avec les attitudes qu'il aura développées. En d'autres termes, l'individu se cherchera un environnement (culturel et physique) qui supportera ses attitudes en même temps que l'environnement aura pour effet de renforcer certaines attitudes particulières et d'en décourager d'autres.

Ce phénomène se manifeste de façon particulièrement évidente dans les groupes qui ont une culture assez uniforme. Le groupe[1] développera des normes le plus souvent implicites mais claires, qui auront pour effet d'indiquer les attitudes à privilégier et celles à éviter. Ces normes résulteront habituellement des attitudes que détiennent déjà les membres influents du groupe et auront pour effet d'attirer des gens qui partagent ces attitudes et de repousser ceux qui ne s'y reconnaissent pas. Celui qui serait membre d'un tel groupe mais qui pour différentes raisons aurait des attitudes trop éloignées de ces normes pour s'y sentir confortable, aurait alors comme choix soit de modifier ses attitudes, soit d'essayer de changer les normes du groupe, soit de se trouver un environnement qui lui serait plus compatible (à moins bien sûr que cette personne n'éprouve un malin plaisir à vivre dans un climat constant de confrontation).

[1] C'est le cas classique de la «gang».

Par exemple, on trouvera rarement un individu qui valorise au plus haut point l'honnêteté et l'intégrité, fréquenter assiduement un clan de fraudeurs, à moins qu'il n'ait délibérément décidé d'essayer de changer ces derniers.

Un indice intéressant de ce phénomène est que très souvent des gens en voie de changement manifesteront des difficultés à maintenir les anciennes relations d'amitié et exprimeront le besoin de se trouver de nouveaux amis qui eux les supporteront, ne serait-ce qu'au plan des habitudes, dans la direction des changements qu'ils veulent opérer.

Ajoutons enfin que ce besoin de s'éloigner d'un environnement donné variera en fonction du degré de tolérance de celui-ci vis-à-vis de la déviance.

4.3.5 Le caractère fonctionnel des attitudes

Comme on vient de le voir, la présence d'un système d'attitudes particulier n'est pas le fruit du hasard mais constitue en bonne partie une réponse d'adaptation[1] aux diverses pressions de l'environnement, lesquelles pressions d'ailleurs commencent dès le bas âge.

Ainsi les attitudes ont-elles eu, au moment de leur formation tout au moins, un caractère fonctionnel, c'est-à-dire qu'elles ont servi à combler un besoin. Au moment où on observe une attitude donnée, il est possible qu'elle ne soit plus fonctionnelle car le contexte peut avoir changé, mais elle risque de s'être imprimée profondément dans l'organisme de l'individu à l'époque où elle a été fonctionnelle.

Par exemple, il ne faudrait pas s'étonner que celui ou celle qui a grandi dans un milieu criminel, entretienne longtemps des attitudes profondes de méfiance, même si désormais il vit dans un contexte où une telle réponse n'est plus fonctionnelle.

On peut souligner quelques besoins ou situations qui dans la vie d'une personne ont pu entraîner le développement fonctionnel de certaines attitudes:

---

[1] Ici, il faut entendre - adaptation - au sens de développer des moyens pour être capable de survivre dans l'environnement et non pas au sens d'accepter inconditionnellement de subir les contraintes de l'environnement.

- maintenir un contact minimal avec d'autres humains;
- entretenir une relation psychologiquement et / ou physiquement tolérable avec les membres de sa famille;
- maintenir son intégrité personnelle face aux assauts psychologiques de son milieu;
- vouloir être accepté par les enfants de son quartier;
- avoir grandi dans un milieu économiquement favorisé;
- ne jamais avoir été exposé à l'insécurité dans son éducation;
- avoir été exposé à un type d'information donné, etc.

Pour l'agent de changement, cet aspect n'est pas négligeable, car lorsqu'il tente de changer une attitude, il est probablement en train de menacer une réponse d'adaptation acquise au prix d'efforts et de sacrifices, en même temps qu'il exige de celui qui change de se donner une nouvelle lecture, une compréhension renouvelée[1] des caractéristiques de son environnement, ce qui demande beaucoup d'énergie.

4.4 Le changement des attitudes

> Les attitudes, considérées comme traces durables résultant des expériences de l'individu, tendent à rétrécir, conserver et stabiliser son monde. Mais les hommes ne peuvent pas vivre une vie complètement autistique dans un monde de leur propre création. Le monde «extérieur» est en mouvement, et tous les hommes, à des degrés divers, réagissent aux changements qui les affectent dans l'environnement. En essayant de s'ajuster avec ce monde changeant, ils se voient en train de changer leurs attitudes, avec facilité ou difficulté, avec beaucoup de réceptivité ou beaucoup de résistance. C'est là le compagnon individuel et psychologique du changement social, du soulèvement social et de la montée et de la chute des sociétés et cultures[2].

---

[1] C'est d'ailleurs ce qui fait dire à Edgar Schein que le changement s'accompagne d'une redéfinition cognitive, cf. *The Mechanisms of Change* in W.C. Bennis, K.D. Benne, R. Chin (Eds.): *The Planning of Change.* New York, Holt, Rinehart and Winston, 1969.

[2] Krech, D., Crutchfield, R. et Ballachey, E., *Individual in society,* New York. McGraw-Hill, 1962, p. 215 (traduction des auteurs).

Les attitudes ne sont pas cristallisées, figées pour l'éternité. De la même façon qu'elles se sont développées, elles peuvent changer en réponse ou en réaction à diverses influences, incitations, circonstances.

À l'intérieur d'une entreprise de changement, l'agent de changement aura avantage à s'intéresser aux attitudes présentes dans le système social, que ce soit pour agir directement sur elles s'il le faut pour atteindre l'objectif de changement, ou que ce soit pour être plus lucide sur la part d'influence qu'elles auront dans la dynamique du changement. Il pourra alors avec plus de certitude déterminer la probabilité de succès de l'entreprise, en même temps qu'il sera mieux avisé dans le choix et l'aménagement des moyens d'intervention.

En fait, il pourra prendre en considération un certain nombre de facteurs qui auront une plus ou moins grande valeur de prédiction quant aux possibilités et limites de changement. Pour ce faire, il devra examiner ces facteurs à deux niveaux: au niveau de la dynamique interne du système d'attitude et au niveau de la dynamique externe du système d'attitude, soit l'environnement.

4.4.1 Les facteurs internes aux systèmes d'attitudes

A- LE CARACTÈRE EXTRÉMISTE

En général, plus une attitude est extrémiste, c'est-à-dire située à un extrême ou l'autre de l'échelle d'attitude, plus elle est difficile à changer dans le sens inverse[1]. Si on traçait une échelle d'attitude à l'endroit de la participation aux décisions, on pourrait obtenir l'échelle qui suit:

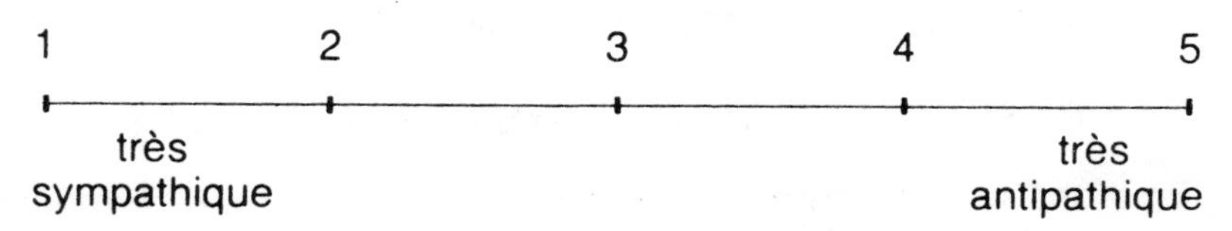

[1] On peut ici parler de changement incongruent, dans le sens qu'il s'opère en direction inverse de sa tendance initiale. Lorsqu'une attitude change dans la direction de sa tendance initiale, donc se renforcit, on parle alors de changement congruent.

Par rapport à une telle échelle, il est probable qu'il serait difficile de faire passer quelqu'un du point 1 au point 3 ou du point 5 au point 3 car on s'adresserait à des attitudes extrémistes. À l'inverse, il devrait être plus facile de faire passer quelqu'un du point 3 aux points 2 ou 4 ou encore du point 2 au point 1 et du point 4 au point 5. C'est ce qu'ont compris tous les partis politiques du monde en temps d'élection alors qu'ils s'emploient d'une part à influencer ceux qu'on appelle les indécis et d'autre part à renforcer ceux qui leur sont déjà sympathiques.

Une autre façon d'aborder ce facteur est de dire que plus on s'adressera à une attitude extrémiste, plus il faudra investir de temps et d'énergie pour la changer, avec le risque que la quantité de changement incongruent soit faible.

B- LA CONSISTANCE DU SYSTÈME D'ATTITUDE

Plus une attitude ou un système d'attitude sera consistant, plus il risquera d'être difficile à changer et à l'inverse, moins il sera consistant, plus il devrait être facile à changer. On l'a déjà dit, il sera avantageux pour l'agent de changement d'agir sur les trois composantes de l'attitude pour d'une part avoir plus d'impact sur l'attitude et d'autre part pour faire en sorte que la nouvelle attitude développée soit assez consistante et plus durable. Ainsi l'agent pourra agir sur la composante cognitive (information appropriée), sur la composante comportementale (vivre une expérience concluante par rapport à l'objet du changement) et sur la composante affective (développer des normes et valeurs consonnantes).

Il faut dire que dans le cas d'une attitude inconsistante il sera plus facile à l'agent d'induire un changement qui aura pour effet de rendre l'attitude plus consistante dans sa tendance initiale (changement congruent) que de la faire changer en direction inverse.

C- LA CONSONNANCE DANS LE SYSTÈME D'ATTITUDE

Plus une attitude sera en état de consonnance ou d'harmonie avec les autres attitudes du système, plus on peut prévoir qu'elle sera difficile à changer car on tenterait alors d'introduire un déséquilibre dans l'ensemble du système, source d'inconfort pour l'individu.

Si une attitude est en dissonnance avec le système d'attitude, elle devrait être relativement facile à changer pour la rendre plus consonnante avec le reste du système, car cet état de dissonnance crée probablement déjà chez la personne un certain inconfort qu'elle cherchera vraisemblablement à diminuer.

En fait, les autres sous-systèmes exercent déjà une pression sur elle afin de la rendre plus conforme et ainsi restituer à l'individu un degré d'harmonie suffisant pour son confort psychologique.

C'est probablement l'une des raisons pour lesquelles plusieurs des groupements féministes qui tentent de faire une percée dans l'opinion publique ont déjà choisi comme clientèle cible des milieux où des attitudes égalitaires sont bien enracinées. C'est le cas souvent des syndicats. Ainsi ces agents présument qu'auprès d'individus adhérant à un système qui prône l'égalité entre les travailleurs, l'égalité des rôles sexuels et l'abolition des rapports dominant-dominé trouveront un terrain propice à une recherche de consonnance. Si des hommes affichant des attitudes égalitaires à l'endroit du monde du travail continuaient d'entretenir des rapports de domination avec leurs partenaires féminins, on peut imaginer que cette attitude au niveau des rapports homme-femme serait dissonnante avec leur système d'attitudes liées aux rapports humains. Cette attitude subirait donc la pression des autres sous-systèmes pour se conformer à une notion plus universelle d'égalitarisme. Il ne faut cependant pas croire qu'un tel effet sera automatique car l'attitude face au statut de la femme peut aussi être reliée à d'autres systèmes d'attitudes, dont celui à l'endroit de la structure familiale et des rôles qui en découlent.

Toutefois, si on veut changer davantage une attitude déjà dissonnante avec le reste du système (la rendre plus dissonnante), il faudra probablement agir sur l'ensemble du système de façon à ce que celui-ci devienne désormais plus consonnant avec l'attitude à l'origine dissonnante. Cela risque de ne pas être une tâche facile!

D- LE CARACTÈRE FONCTIONNEL DES ATTITUDES

Plus une attitude est fonctionnelle par rapport à son environnement actuel, plus il sera difficile de la changer. En effet, il faudrait que la personne accepte de se mettre en situation de conflit ou de déviance par rapport à son environnement avec le risque de se priver d'un certain nombre de gratifications et de mécanismes de survie, pour finalement hausser son exposition au stress. Il serait illusoire et angélique par exemple de demander à quelqu'un qui vit dans un milieu de fraudeurs de ne pas être méfiant, la méfiance étant essentielle à la survie dans un tel milieu.

Par contre, il devrait être plus facile de changer une attitude devenue disfonctionnelle par rapport à l'environnement ambiant, car cette attitude est désormais en dissonnance et il est probable qu'elle subisse des pressions des autres sous-systèmes pour devenir plus conforme.

4.4.2 Les facteurs externes au système d'attitude

A- LA SOURCE DU MESSAGE DE CHANGEMENT

Diverses études[1] ont démontré que la crédibilité accordée à la source d'un message affecte directement le degré d'influence de ce message. Ainsi, plus celui qui véhicule l'idée du changement est estimé des destinataires, plus il aura d'influence sur ceux-ci et à l'inverse, moins il sera estimé, moins il aura d'influence, s'il ne produit pas l'influence contraire à celle recherchée. Les sociétés de publicité l'ont d'ailleurs fort bien compris et systématiquement tentent d'associer les produits à des idoles, spécialistes et symboles sociaux auxquels les gens ont le goût de s'identifier.

Est-ce à dire que aussitôt qu'un message de changement est véhiculé par un agent peu ou pas crédible, il n'en résultera aucune influence? Pas nécessairement. Malgré l'effet produit par la source du message, on peut néanmoins compter sur «l'effet de sommeil». Cet «effet de sommeil» se manifeste de la façon suivante: avec le temps, le récepteur d'un message en vient à dissocier la source et le message. La conséquence de cette dissociation est que même si la source demeure peu crédible, le message à la longue peut quand même produire un certain effet.

Par exemple, si nous écoutons à la télévision un discours politique livré par le chef d'une formation rivale, il est probable que nous ne serons que très peu influencés au moment même du discours. À cause de l'effet de sommeil, il est toutefois possible que certains arguments mis de l'avant se mettent à germer dans notre

---

[1] Hovland, C.I., Weiss, W. *The influence of source credibility on communication effectiveness.* Public Opinion Quarterly, 1951, 15, 635-650.

esprit quelques temps après, lorsque l'auteur du discours aura cessé d'être associé dans notre esprit au contenu du discours.

On peut peut-être trouver là, la raison pour laquelle tant de politiciens s'efforcent de continuellement associer des idées adverses à des personnes adverses!

Quoiqu'il en soit, l'effet de sommeil demeure fragile car aussitôt que nous sommes remis en contact avec la source du message, l'association entre les deux réapparaît.

B- LE MEDIUM OU LA MÉTHODE POUR VÉHICULER LE MESSAGE DE CHANGEMENT

Le medium utilisé pour exprimer un message de changement peut avoir un effet analogue à la source du message. En effet, selon le groupe que l'on vise, certains media auront une influence positive, d'autres nulle ou négative. C'est un peu la formule de Marshall McLuhan: «Le medium est le message». Ainsi, quand on utilise un vocabulaire raffiné avec des gens peu scolarisés, même si ceux-ci comprennent le vocabulaire utilisé, il est possible qu'on ait peu d'influence sur eux, car ce langage témoigne d'une culture différente de la leur, de sorte que ce qu'ils enregistrent c'est davantage l'écart culturel vécu que le contenu du message.

On a souvent observé par exemple que les personnes ayant suivi des sessions en relations humaines ou qui sont très sensibles aux relations humaines, ont tendance dans un cours à réagir négativement à un exposé sur bande vidéo. Sans nier la valeur de l'exposé ils reprochent au medium utilisé d'être trop froid, trop impersonnel, de ne pas permettre d'interaction avec le présentateur pour faciliter les apprentissages. Pour ce groupe de personnes, on peut dire que le medium était mal choisi car il créait un effet de distanciation.

Les enseignants ont souvent pu vivre des expériences similaires. Ainsi, il n'est pas rare dans une classe d'observer que les étudiants sont plus influencés par l'image et le comportement du professeur que par ce qu'il dit.

On peut enfin présumer que le même effet se produira dans une organisation où un supérieur hiérarchique «imposera» de façon solennelle que désormais les décisions seront prises à partir d'une approche participative!

C- L'ANXIÉTÉ GÉNÉRÉE PAR LE MESSAGE DE CHANGEMENT

Des études[1] ont été faites afin d'identifier le degré d'anxiété optimal qu'il faut induire pour provoquer un changement d'attitude. Il semblerait qu'un faible degré d'anxiété produise peu de décristalisation alors qu'un degré élevé d'anxiété génère des résistances qui amènent les individus à être défensifs et à rejeter ou discréditer la source d'anxiété.

On se souviendra qu'au moment où nous avons abordé les sources du changement (chapitre II), l'anxiété a été présentée comme une des sources de changement. On précise ici que l'anxiété doit être suffisamment intense pour être motrice de changement: elle doit dépasser un seuil de tolérance pour compromettre le confort psychologique du destinataire. Elle ne doit cependant pas dépasser certaines limites car elle devient alors tellement menaçante pour l'individu qu'il craint de ne pas être en mesure d'y faire face et préfère l'éviter. À la lumière de ce que l'on connaît de l'effet du stress on peut prévoir qu'une dose trop forte d'anxiété risquera de détruire tout l'individu plutôt que de décristaliser une ou des attitudes.

Par exemple, dans des sessions sur les relations interpersonnelles, on voit souvent l'animateur tenter d'aider une personne à décristalliser une ou des attitudes (les remettre en question ou les examiner). Or il arrive parfois que cette tentative est faite de façon telle, qu'elle génère une dose d'anxiété considérable chez cette personne. Il n'est par rare que celle-ci réagisse alors de façon défensive, sinon agressive, et cherche à discréditer l'animateur, publiquement ou pour elle-même, notamment en questionnant sa compétence ou son sens de l'éthique professionnelle. Dans les mêmes circonstances, certains diront de l'animateur, qu'il a cherché à les «descendre aux yeux des autres» en lui prêtant toutes sortes d'intentions cachées.

Hélas, il n'existe pas de moyen rapide et sûr pour détecter les seuils de tolérance des gens à l'anxiété, d'autant plus que ces seuils varieront d'une personne à l'autre dans un même groupe. Aussi faut-

---

[1] Janis, I.L., Feshback, S. *Effects of fear-arousing communications.* Journal of Abnormal Social Psychology, 1953, 48,78-92.

il que l'agent soit vigilant pour saisir les différents indices qui le renseigneront sur la réaction des destinataires.

D- LE GROUPE D'APPARTENANCE

En psychologie sociale on connaît l'importance du groupe d'appartenance sur la formation et le changement des attitudes. D'une part, on sait que les gens devront investir beaucoup d'efforts s'ils doivent changer dans une direction contraire aux normes et aux attitudes de leur groupe d'appartenance. D'autre part, on sait qu'habituellement le groupe d'appartenance exercera une pression à la normalisation d'autant plus forte que les gens essaieront de changer dans une direction différente ou opposée aux normes du groupe.

Cet aspect joue souvent un rôle crucial dans une intervention de changement car le groupe d'appartenance fournit à l'individu du support, de la sécurité et des points de référence fidèles et en changeant il risque d'être privé de ces éléments.

On observe fréquemment ce phénomène dans un groupe où un des membres commence à changer et à s'éloigner des normes ambiantes. On le taxe alors de marginal. Dans ces cas, il n'est pas rare que la personne concernée cherche intensément à créer des liens «supportants» avec d'autres personnes avec qui elle sent plus d'affinité. Que l'on pense par exemple à des gens qui changent de travail ou de département dans l'espoir de trouver un milieu plus compatible avec leurs valeurs et intérêts.

En fait, celui qui commence à s'écarter significativement des normes constitue un agent perturbateur pour l'environnement car au moins au plan symbolique il véhicule le message que les normes actuelles ne sont pas satisfaisantes et qu'on pourrait les changer, ce qui vient briser l'équilibre actuel. On comprendra que devant une telle situation, la réaction du groupe est habituellement de faire des pressions sur l'individu ou de le rejeter.

Dans le cas des leaders, à cause de leur effet d'attraction, ils seront souvent moins victimes de ces pressions et pourront inciter les autres à changer. Encore que dans plusieurs situations on aura vu un déplacement de leadership s'opérer pour ainsi résister à l'influence de changement de «l'ex-leader».

Conclusion

Dans ce chapitre, nous nous sommes attardés à présenter quelques caractéristiques des attitudes et à souligner certains facteurs qui en affectent le changement.

De ces considérations, il faut retenir que l'agent de changement aura intérêt autant au niveau du diagnostic que de la planification et de l'exécution de l'action à demeurer attentif aux attitudes touchées par son intervention de façon à agir de façon appropriée. Selon les circonstances, il devra ajuster son action, en modifiant l'ampleur du projet par exemple ou encore en devenant réaliste sur les délais qui pourront être nécessaires pour que le changement soit implanté.

Il faut se rappeler qu'il ne suffit pas qu'une attitude soit ébranlée pour que le changement soit implanté. Il faut qu'elle soit remplacée par une autre attitude et que celle-ci soit intégrée au système psychologique de l'individu. C'est là la différence entre une amorce de changement et un changement complété, et cela est aussi vrai pour l'individu que pour l'organisation.

Questions guides

1. *Le changement projeté devra-t-il amener des changements d'attitudes?*
2. *Quelles attitudes seront affectées ou visées par le changement?*
3. *Quelles sont les caractéristiques de ces attitudes?*
4. *Lesquelles de ces caractéristiques faudra-t-il surtout surveiller dans l'intervention de changement?*
5. *Pour évaluer le profil de — changeabilité — des attitudes en cause, compléter le tableau qui suit pour chaque attitude visée.*

FIGURE 4.2

Caractéristiques des attitudes et leur changement

Attitude:						Propice au changement	Non propice au changement
Facteurs internes	Très				Peu		
Caractère extrémiste	1	2	3	4	5		
Degré de consistance	1	2	3	4	5		
Degré de consonnance	1	2	3	4	5		
Caractère fonctionnel	1	2	3	4	5		
Facteurs externes							
Crédibilité de la source	1	2	3	4	5		
Pertinence du médium	1	2	3	4	5		
Anxiété suscitée	1	2	3	4	5		
Support du groupe d'appartenance	1	2	3	4	5		

CHAPITRE V

LE MODÈLE DU CHAMP DE FORCES ET LE DIAGNOSTIC

Le modèle du champ de forces et le diagnostic[1]

Certains sont victimes de la «pensée magique» c'est-à-dire qu'ils s'imaginent qu'il suffit d'y croire et de le souhaiter pour que le changement se matérialise.

Nous disposons désormais de deux grilles qui nous permettent d'avancer davantage sur le terrain du diagnostic: l'analyse systémique et des éléments sur la psychosociologie des attitudes. Nous abordons dans ce chapitre un instrument de diagnostic à l'intérieur duquel nous pourrons utiliser ces deux grilles; il s'agit du modèle du champ de forces. Ce modèle permettra notamment de reprendre des notions théoriques de l'analyse systémique et de la psychosociologie des attitudes pour les rendre utilisables au niveau d'un diagnostic concret.

5.1 Le modèle du champ de forces

Le modèle du champ de forces a été conçu par Kurt Lewin[2] dans les années 40. Ce modèle pose au départ que les situations sociales, loin d'être statiques sont au contraire dynamiques, c'est-à-dire qu'elles s'inscrivent dans un tableau où des forces interagissent. Ainsi, une situation donnée, en apparence stable, ne serait en fait qu'une situation maintenue en état d'équilibre dans un champ dynamique de forces opposées. On pourrait donc dire que cette situation est semi-stable parce qu'elle résulte d'un équilibre relatif entre différentes forces qui agissent simultanément sur la situation.

---

[1] La rédaction de ce chapitre a entre autre été inspirée d'un texte de Jean Gagnon sur la méthode du champ de forces. Nous lui devons des remerciements pour nous avoir permis de l'utiliser.

[2] Lewin, Kurt. *Field Theory in Social Science.* New York, Harper, 1951.

FIGURE 5.1

Représentation symbolique des forces en interaction

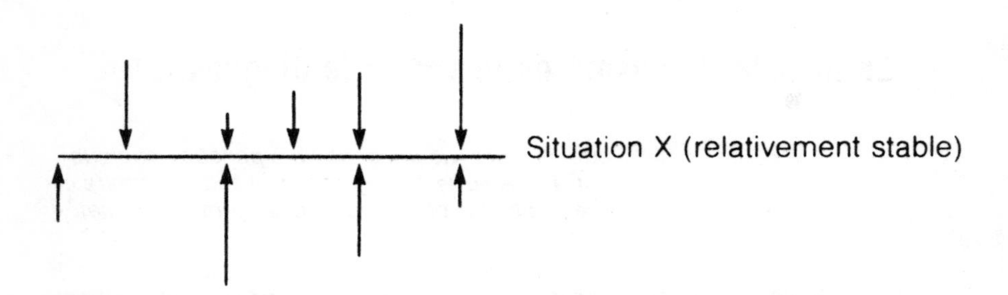

Une façon de se représenter le jeu des forces dans un champ de forces, serait de considérer la situation comme une planche maintenue stable par des ressorts de part et d'autre, tel que montré à la figure 5.2.

FIGURE 5.2

L'équilibre dans le champ de forces

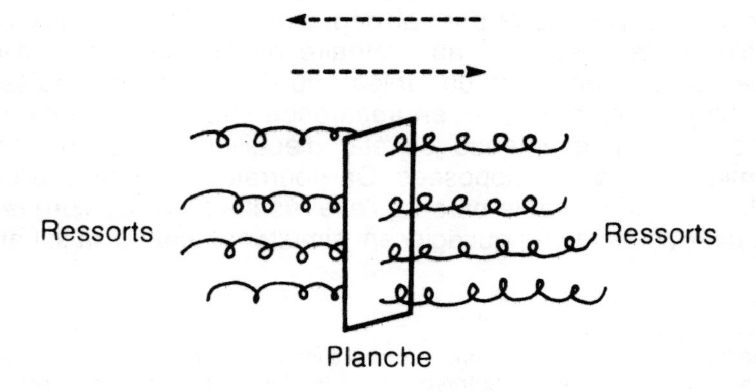

Dans cette illustration, on aura compris qu'il suffira de modifier d'une façon ou d'une autre la poussée des ressorts pour que la position de la planche soit changée. Il en va de même dans le champ de force. Il suffit qu'une ou des forces soient augmentées ou diminuées pour que la situation soit changée, plus ou moins significativement selon l'importance de la ou des forces concernées.

Qu'est-ce alors qu'une force? Une force peut être tout élément qui agit sur une situation donnée. Cela peut aussi bien être un objet matériel qu'un aspect immatériel. Un aménagement physique comme une idée peuvent être des forces, en autant qu'ils exercent une influence sur la situation.

Pour que le modèle du champ de forces deviennent utilisable, il faut lui ajouter une autre composante, à savoir que la situation en état d'équilibre doit être située par rapport à une autre situation qui pourrait exister. Cela nous permettra de donner une direction aux forces qui agissent dans la dynamique du champ.

Dans la perspective du changement, on situera alors la situation actuelle par rapport à une «situation désirée» et la situation actuelle deviendra la «situation insatisfaisante» qu'on cherche à changer en faveur de la situation désirée. Par rapport à la situation désirée on pourra ainsi qualifier les forces qui agissent sur la situation actuelle, de motrices ou de restrictives.

FIGURE 5.3

Le champ de forces

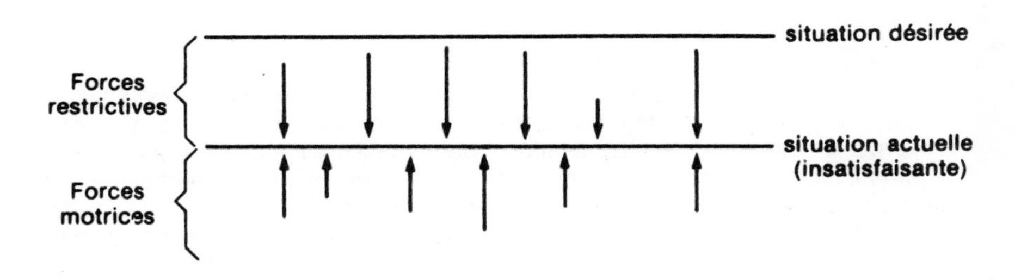

Comme on le voit dans la figure 5.3, les forces motrices sont des forces qui agissent de façon à rapprocher la situation actuelle de la situation désirée. À l'inverse, les forces restrictives[1] (ou freinantes) sont des forces qui agissent de façon à empêcher la situation actuelle de se rapprocher de la situation désirée et qui probablement tendent à la rapprocher d'une autre situation non désirée.

Ajoutons que l'identification de la situation désirée n'est pas objective, mais subjective, c'est-à-dire qu'elle représente la vision de celui ou celle qui veut faire changer la situation. D'autres auraient pu décrire la situation désirée de façon tout à fait différente et les forces auraient alors pris une signification différente aussi. En d'autres termes, une situation n'est pas désirée en soi; elle est désirée par quelqu'un à partir de critères qui lui sont propres.

Prenons comme exemple la situation d'une institution nationale qui serait confrontée au dilemne de la centralisation ou de la décentralisation des décisions. Un groupe qui prévilégierait un mécanisme décisionnel centralisé au niveau de la direction nationale, définirait la situation actuelle comme laissant trop de pouvoir aux directions régionales et décrirait la situation désirée sous la forme d'une structure qui attribuerait de nombreux pouvoirs à la direction nationale. Un groupe qui prévilégierait des mécanismes de décision décentralisés pour sa part définirait la situation actuelle comme ne fournissant que peu de pouvoir aux directions régionales et la situation désirée comme laissant une concentration importante de pouvoir aux mains de ces directions. Ainsi, pour une même situation actuelle, deux acteurs auront défini des situations désirées diamétralement opposées. Et si on faisait pour chacun un relevé de forces motrices et restrictives, on découvrirait que dans bon nombre de cas les forces motrices de l'un seraient les forces restrictives de l'autre.

---

[1] Certains utiliseront «force négative» comme synonyme de «force restrictive». À notre avis il s'agit là d'une erreur car les deux n'ont pas la même signification. L'expression force négative contient un jugement valoriel pour celui qui porte le jugement alors que l'expression force restrictive contient un jugement descriptif par rapport à la situation désirée. Ainsi il se pourrait très bien qu'une force que je juge négative par rapport à mes valeurs puisse par ailleurs être très motrice par rapport à la situation désirée. Imaginons que je déteste un confrère de travail (force négative à mes yeux), mais que celui-ci ait beaucoup de crédibilité auprès des personnes à qui je veux faire accepter un changement et qu'en plus il souscrive à mon projet de changement. Ce confrère devient alors une force particulièrement motrice par rapport à la situation désirée, bien que j'en conserve une image négative.

5.2 La méthode d'analyse des forces

5.2.1 Description de la situation actuelle et de la situation désirée

Dans la méthode d'analyse des forces, la première opération consiste à décrire le plus précisément possible la situation actuelle qu'on juge insatisfaisante et la situation désirée qu'on souhaite atteindre.

Supposons que j'observe que le taux d'absentéisme dans mon équipe de travail est trop élevé. Quand je dis trop élevé, c'est que j'ai en tête la représentation plus ou moins claire de ce que devrait être le taux d'absentéisme. Dans le cas présent, supposons que je désire le ramener à moins de 3%. Si je veux décrire la situation actuelle non pas en termes évaluatifs mais bien descriptifs et de façon succincte, je dirai qu'actuellement le taux d'absentéisme se situe à 10%; voilà donc ma situation actuelle, que je considère insatisfaisante.

La situation désirée, quant à elle, pourrait être formulée de la façon suivante: «Au premier décembre, le taux d'absentéisme se sera maintenu à moins de 3 % depuis deux mois».

Notons que je n'ai pas décrit la situation actuelle comme étant «absentéisme trop élevé» et la situation désirée comme «absentéisme plus faible». Pourquoi? Parce qu'il s'agit ici de décrire et non pas d'évaluer. Des mots comme trop ou moins sont des termes évaluatifs et non descriptifs. Habituellement, la description nous permet de mesurer un phénomène, d'en avoir une représentation claire et univoque. Qu'est-ce qui est trop pour moi? Ce qui est trop pour moi, c'est peut-être juste assez pour une autre personne. Tandis que 3% et 10%, c'est une description à caractère univoque.

5.2.2 L'identification des forces restrictives

Dans un deuxième temps, il s'agira d'expliquer l'écart entre la situation actuelle et la situation désirée, à savoir de relever les forces restrictives qui empêchent la situation actuelle de se rapprocher de la situation désirée. Soulignons ici qu'il ne s'agit pas de forces qui «pourraient» agir mais bien des forces qui effectivement agissent.

Ainsi, si, actuellement le taux d'absentéisme est de 10% et que je désire le ramener à moins de 3%, c'est qu'il y a entre ma situation actuelle et ma situation désirée un certain nombre de forces restrictives qui empêchent ma situation actuelle d'évoluer vers une amélioration. Voyons quelles pourraient être ces forces restrictives:

- Cette situation existe depuis si longtemps que c'est presque une tradition.
- La politique de l'organisation concernant l'absentéisme est ambigüe.
- Le personnel concerné travaille dans des conditions environnementales souvent difficiles (lumière, bruit, cadences, etc).
- Les normes sociales du groupe concerné favorisent l'absentéisme. (Ceux qui sont les plus constants au travail sont sujets à moquerie).

Il y en aurait sans doute beaucoup d'autres mais qu'il suffise pour l'instant de donner simplement une idée du genre de forces que l'on peut voir comme restrictives.

5.2.3 L'identification des forces motrices

Dans un troisième temps on fera un inventaire des forces motrices qui agissent sur la situation actuelle.

S'il n'y avait que des forces restrictives en action sur la situation, ce n'est pas à 10% que serait l'absentéisme mais en progression constante vers 100%. En effet, puisque ces forces ne sont pas statiques mais dynamiques, elles continueraient d'exercer leur action présumément à l'infini. Si donc la situation ne s'améliore pas, c'est à cause de la présence de forces restrictives, mais si par contre, elle ne se détériore pas, c'est qu'il doit exister des forces opérant en sens inverse, soit des forces motrices. Ce sont celles qui empêchent la situation de se détériorer et sur lesquelles je pourrai m'appuyer afin de provoquer un changement. Quelles pourraient être certaines de ces forces motrices?

- Au-delà d'un certain seuil, le contrevenant risque la suspension ou le renvoi.

- Les relations contremaîtres / ouvriers demeurent assez harmonieuses.
- Au-delà d'un certain seuil, le contrevenant risque certaines punitions informelles au sein de son groupe (pendant qu'il se repose, nous on se tape tout le travail).
- L'existence d'une prime (bien que minime) à la productivité.

Lorsqu'on a terminé l'inventaire des forces motrices et restrictives agissant sur la situation qu'on désire changer, on a sous les yeux une représentation totale de la situation dans des termes dynamiques. On a donc sous les yeux un diagnostic passablement avancé. On peut le raffiner davantage en relevant les forces les plus agissantes de façon à pouvoir s'y intéresser plus spécialement par la suite.

5.3 Le changement dans le champ de forces

Une fois le diagnostic posé, il s'agira d'amorcer le changement. Or, nous avons vu que la situation actuelle se maintient au présent niveau grâce à un équilibre dans un champ de forces dynamiques. Si on veut faire avancer, évoluer la situation actuelle dans le sens de la situation désirée, on doit provoquer un déséquilibre dans le champ de forces. C'est à la phase de la planification stratégique qu'on envisagera divers moyens pour provoquer ce déséquilibre. Pour l'instant il suffira d'indiquer la façon de procéder pour produire le déséquilibre recherché.

Essentiellement, il existe trois leviers pour provoquer un déséquilibre dans le champ de forces: agir sur le champ restrictif ou sur le champ moteur ou bien transformer des forces restrictives en forces motrices.

5.3.1 Action sur le champ restrictif

La première façon d'agir sur le champ de forces consiste à diminuer l'intensité ou à supprimer totalement une ou des forces restrictives, ce qui devrait permettre aux forces motrices d'exercer leur action et ainsi se rapprocher de la situation désirée.

5.3.2 Actions sur le champ moteur

Une deuxième façon consiste à augmenter l'intensité d'une ou de plusieurs forces motrices ou même encore d'ajouter des forces motrices dans le champ. On crée alors une pression accrue sur les forces restrictives ce qui devrait nous rapprocher de la situation désirée.

5.3.3 Transformer des forces

Une troisième façon pourrait être de transformer une ou des forces restrictives en forces motrices. Ce serait le cas par exemple si, dans un projet de changement, une ou des personnes étaient opposées au changement et qu'on réussissait à les convraincre d'appuyer le projet.

L'expérience démontre toutefois que les changements les plus durables sont ceux qui ont fait appel au premier ordre de stratégies, c'est-à-dire à une diminution de l'intensité du champ restrictif. En effet, quand on procède de cette façon, on permet aux forces naturelles agissant dans une situation d'exercer leur action. Inversement, quand on ajoute des forces motrices, on fait intervenir des éléments qui ne font pas partie de la problématique et du contexte actuel et, très souvent, on se rend compte que cela provoque une réaction de résistance accrue du côté des forces freinantes. De plus, il arrive que, lorsqu'on a réussi à obtenir les changements en augmentant le champ moteur, on constate que ces changements ne durent que le temps du maintien de la pression motrice. En effet, dès que celle-ci se détend, la situation a tendance à régresser et à revenir vers la situation antécédente au changement.

En dernière analyse, on peut dire que les stratégies les plus efficaces et les plus durables seront probablement celles qui combineront à la fois une diminution du champ freinant et un accroissement du champ moteur.

Ajoutons qu'avant de décider de la stratégie à utiliser, l'agent de changement aura avantage à avoir identifié au préalable les forces sur lesquelles il peut agir et celles sur lesquelles il veut agir. En relevant les forces sur lesquelles il peut agir, l'agent d'une part s'oblige à être réaliste quant à l'impact possible d'une intervention et d'autre part s'évite d'avoir à investir temps et énergie sur des forces qui de toute façon ne lui sont pas accessibles. Les mêmes considérations s'appliquent pour les forces sur lesquelles il n'aurait de toute façon pas l'intention d'agir, pour toutes sortes de raisons.

5.4 Le processus sélectif de la méthode

On aura remarqué que la méthode d'analyse des forces suit un processus de sélection progressive dont on trouvera une illustration à la figure 5.4

FIGURE 5.4

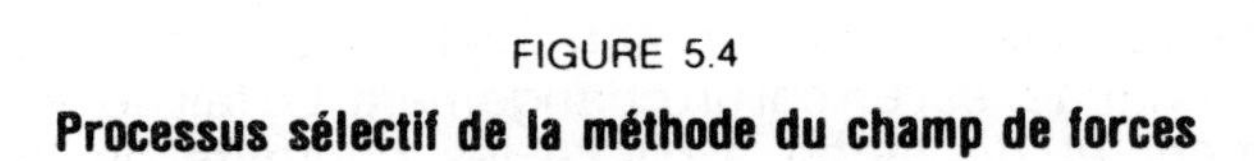

Processus sélectif de la méthode du champ de forces

- Inventaire des forces motrices et restrictives
- Sélection des forces les plus importantes
- Forces sur lesquelles je peux agir
- Forces sur lesquelles je veux agir
- Choix d'une stratégie

Il pourrait arriver qu'au terme de ce processus, il ne reste que peu de forces sur lesquelles agir et que l'agent en conclue qu'il n'aura finalement que peu d'impact. S'il voulait augmenter son impact, il devrait alors revoir ses critères de sélection en un endroit ou l'autre du processus d'analyse, de façon à retenir plus de forces sur lesquelles agir.

5.5 Les avantages de la méthode d'analyse des forces

La méthode d'analyse des forces en tant qu'instrument de diagnostic et en tant que modèle de changement dynamique comporte plusieurs avantages pour celui qui l'utilise. Premièrement, elle permet au système aux prises avec une situation à changer, de procéder à deux opérations extrêmement importantes tant pour le changement lui-même que pour la dynamique psychosociale du système concerné. Ces deux opérations sont d'une part la description d'une situation actuelle insatisfaisante et d'autre part l'identification d'une situation désirée. Ces deux éléments étant précisés, il devient plus facile d'appréhender l'ampleur des changements à apporter.

Dans les groupes et les organisations, c'est une activité à laquelle on se livre trop peu souvent. En effet, les problèmes restent flous, mal cernés, mal saisis et font l'objet d'interprétations souvent différentes, voire même contradictoires. Le simple fait de réussir à s'entendre sur une description non-évaluative d'une situation que l'on désire changer est en soi un changement. Le fait de devoir tracer correctement et de façon explicite les contours de la situation désirée, possiblement de façon consensuelle, permet au système social de se donner une intention, une destination, un but à atteindre et de le rendre clair pour chacun des membres de ce système. Cette situation étant correctement tracée, elle représente un objectif à atteindre et permet ainsi à chacun d'harnacher ses énergies dans ce sens.

Un troisième avantage de la méthode d'analyse des forces est qu'elle nous permet de saisir de façon visuelle le caractère fondamentalement dynamique de la problématique sociale. Quatrièmement, la méthode d'analyse des forces nous permet de récupérer une partie extrêmement importante de la réalité et qui est très souvent négligée par les propagandistes de changement social. Il semble en effet que nous soyons devenus des virtuoses de l'identification de l'ensemble des merveilleuses raisons pour lesquelles nous ne pouvons obtenir ce que nous désirons, c'est-à-dire dans les termes de la théorie du champ de forces, que nous sommes très capables de procéder à un inventaire éminemment exhaustif des forces restrictives, d'où résulte d'ailleurs le plus souvent un sentiment d'impuissance chronique.

Mais habituellement, là s'arrête notre analyse. Or, la méthode d'analyse des forces nous permet de constater que s'il n'y avait que ces forces restrictives agissant sur la situation, cette dernière se détériorerait de jour en jour. Donc la méthode d'analyse des forces nous permet d'apprivoiser d'autres leviers de pouvoir réel : les forces motrices qui, présentes dans la situation actuelle, l'empêchent de se détériorer et peuvent servir de tremplin pour provoquer un changement.

Un cinquième avantage du modèle des champs de force est de nous obliger à être réaliste quant à nos ambitions de changement. Entre autres en nous fournissant une image claire de l'écart entre les situations actuelles et désirées, mais aussi en illustrant que pour se rapprocher de la situation désirée il faudra investir des efforts nombreux et sur plus d'un tableau.

5.6 Synthèse de la méthode

En résumé, voici les grandes étapes à suivre lorsqu'on utilise la méthode d'analyse des forces comme instrument de diagnostic :

- une description non-évaluative et succinte de la situation actuelle (qu'on juge insatisfaisante),
- une description non-évaluative et succinte de la situation désirée (avec laquelle on serait satisfait),
- un inventaire exhaustif des forces restrictives,
- un inventaire exhaustif des forces motrices,
- l'identification des forces les plus influentes sur la situation actuelle,
- le choix des forces sur lesquelles on peut agir,
- le choix des forces sur lesquelles on veut agir.

Cette démarche étant faite, il restera au niveau de la planification à définir des objectifs opérationnels et à trouver des moyens d'action pour agir sur les forces qui auront été retenues au terme de l'analyse.

Questions guides

1. *Quelle est la situation insatisfaisante qu'on veut changer?*
2. *Qui la perçoit comme insatisfaisante?*
3. *Quels sont les effets indésirables de cette situation?*

4. *Quelle est la situation désirée pour remplacer la situation actuelle?*
5. *Par qui la situation désirée a-t-elle été formulée?*
6. *Qui en serait avantagé et comment?*
7. *Quelles sont les forces motrices et restrictives qui agissent sur la situation?*
8. *La situation semble-t-elle stable ou en évolution?*
9. *Quelles sont les forces les plus importantes qui agissent sur la situation?*
10. *Quelles sont les forces sur lesquelles on pense pouvoir agir?*
11. *Quelles sont parmi ces forces, celles sur lesquelles on veut agir?*

CHAPITRE VI

LES OBJECTIFS DANS UNE INTERVENTION DE CHANGEMENT

Les objectifs dans une intervention de changement

«Nul vent ne peut venir en aide au capitaine qui ne connaît point sa destination»[1].

Entendu aux Iles de la Madeleine

Les objectifs constituent dans une large mesure l'axe intégrateur d'une intervention de changement planifié. C'est autour d'eux que graviteront les différentes composantes de la planification.

6.1 Fonction des objectifs

Dans la perspective du changement planifié, nous retiendrons trois fonctions aux objectifs.

Premièrement, lorsqu'ils auront été bien clarifiés, ils nous obligeront à faire des choix appropriés quant aux moyens d'action à utiliser pour se rapprocher de la situation désirée, de sorte que la planification en deviendra plus systématique.

Deuxièmement, ils faciliteront le processus d'évaluation continu. Régulièrement on pourra examiner l'évolution de la situation en rapport avec les objectifs et juger du degré de succès de l'intervention.

Troisièmement, les objectifs faciliteront la communication de nos intentions aux destinataires ou aux collaborateurs en les rendant plus explicites. Elles seront plus faciles à saisir que si on se contentait de quelques énoncés vagues, ce qu'on a l'habitude d'appeler des voeux pieux.

---

[1] Sûrement inspirée de Montaigne.

D'une certaine façon, les objectifs serviront de charnière entre le diagnostic et la planification. Tant et aussi longtemps que le diagnostic n'est pas suffisamment élaboré, nous ne disposons pas d'une vision assez nette de la situation pour préciser les orientations à donner à l'intervention. D'autre part, il sera difficile d'amorcer une planification éclairée si on n'a pas au préalable clarifié les résultats qu'on veut atteindre. La formulation des objectifs constituera l'aboutissement logique du diagnostic et fournira l'encadrement nécessaire à la planification de l'intervention.

Sans objectifs clairs, l'intervenant s'expose à voguer au gré de ses impressions et fantaisies, sans trop avoir de repères pour juger de l'impact des événements sur ses chances d'atteindre la situation désirée. Sans compter qu'il risque d'en être réduit à intervenir à courte vue.

6.2 Notion d'objectif et notion de valeur

La notion d'objectif et la notion de valeur peuvent parfois être employées l'une pour l'autre. Aussi il nous apparaît utile d'établir la distinction entre les deux[1].

Une valeur exprime un système de croyance auquel adhère un individu, un groupe ou une organisation; elle véhicule une façon particulière d'envisager différents aspects du réel et cette conception du réel résulte d'un choix conscient ou inconscient parmi plusieurs possibilités. Habituellement à forte composante émotive, elle a pour effet de conditionner en bonne partie les attitudes et comportements de l'individu ou du groupe en cause. Il faut souligner qu'une valeur ne traduit pas une intention d'action, mais bien une vision de ce qui est à privilégier. Par conséquent, les valeurs sont en règle générale non directement observables. En plus, elles sont la plupart du temps généralisées à un ensemble assez vaste de situations et non circonscrites à un objet particulier.

---

[1] La distinction que nous présentons ici, s'inspire essentiellement de celle faite par Roger Tessier dans *Changement planifié et développement des organisations*, 1973, p. 33-36.

L'objectif pour sa part exprime un résultat recherché et par conséquent une intention d'agir en vue d'atteindre ce résultat. L'objectif a donc habituellement la propriété d'être plus opérationnel qu'une valeur et est relié à une situation ou un objet bien circonscrit dans l'environnement. En fait, un objectif vient cerner les effets qu'on veut produire sur l'environnement par une action quelconque.

Par exemple, si je dis qu'à mon avis la société devrait fonctionner selon un mode démocratique, je suis entrain d'exprimer une valeur. En effet, j'ai exprimé qu'au niveau de mes croyances, je privilégie un système politique par rapport à d'autres. Si d'autre part je dis qu'à l'intérieur d'une organisation donnée je veux faire en sorte que désormais les décisions se prennent de façon plus démocratique, je viens d'exprimer un objectif. En effet, j'ai explicité un effet que je compte produire sur cette organisation. J'ai exprimé une intention d'agir en fonction d'une situation très particulière. Certes cet objectif est inspiré d'une valeur à laquelle j'adhère ; il est toutefois beaucoup plus circonstancié et plus concrèt que ne l'est la valeur en question.

6.3 La flexibilité des objectifs

Le fait de s'attarder à définir des objectifs bien précisés ne signifie pas pour autant que ces objectifs doivent être considérés comme immuables. En effet, comme on l'a mentionné précédemment, l'intervenant aura avantage à reconsidérer régulièrement ses objectifs en fonction des différentes circonstances, des différents phénomènes qui se seront manifestés dans l'environnement. Il se pourrait très bien qu'à partir d'une intervention donnée on ait produit plus d'impact que prévu et que par conséquent, il faille changer certains objectifs qui avaient été prévus initialement, mais qui ne sont plus pertinents. Par exemple, dans une intervention où on voudrait améliorer la qualité de l'alimentation dans une caféteria donnée, un intervenant pourrait s'être donné comme objectif d'influencer la direction de l'établissement afin que celle-ci incite le personnel de la cuisine à modifier les menus. Dans l'intervalle, il pourrait s'être produit qu'à l'intérieur d'un changement dans la structure hiérarchique de l'établissement on ait confié pleine autorité au personnel de la cuisine concernée. Dans une telle circonstance, il est évident que l'intervenant devra abandonner l'objectif qu'il s'était donné de s'allier la direction de l'établissement.

6.4 L'objectif général

L'objectif général[1] formule de façon globale les résultats qu'on cherche à atteindre à la fin de l'intervention. Il reprend donc les termes de la situation désirée en la formulant de façon opérationnelle, et en la présentant de façon réaliste suite à l'analyse qui aura été faite du champ de force. On s'en souviendra, la définition de la situation désirée précise le genre de changement qu'on veut produire à long terme.

6.5 Les objectifs spécifiques

Les objectifs spécifiques pour leur part viennent préciser les différents résultats qu'on devra avoir atteints tout au long de l'intervention pour se rapprocher graduellement de l'objectif final (situation désirée).

Le lecteur qui voudrait trouver un exposé sur la formulation des objectifs pourra référer à des ouvrages spécialisés sur le sujet[2]. Qu'il suffise ici de rappeler deux qualités que devraient respecter les objectifs spécifiques pour être utiles à l'intervenant. Premièrement, au plan de la formulation, l'objectif spécifique précise un résultat qu'on devrait pouvoir observer dans l'environnement suite à l'intervention. Il ne s'agit pas de décrire les activités de l'intervention, mais bien les résultats que celle-ci produira. Par exemple, si je dis «rencontrer» la direction d'une entreprise pour l'influencer sur l'alimentation à privilégier à la cafétéria, je suis en train de décrire une activité que j'ai l'intention d'exécuter. Je n'ai cependant pas précisé le résultat que je recherche, c'est-à-dire l'objectif que je poursuis. Dans les circonstances, mon objectif aurait pu être «d'obtenir que la direction insiste auprès de son personnel pour qu'il modifie la composition des menus».

Deuxièmement, on devrait tendre à formuler un objectif spécifique dans des termes aussi observables que possibles. Il arrive des situations où il est difficile de formuler des objectifs en termes

---

[1] Ou encore les objectifs généraux, selon les circonstances.

[2] Lefebvre, G. *Savoir organiser, savoir décider.* Montréal, Les éditions de l'Homme, 1975, 166 pages.

observables. Quoiqu'il en soit, aussi souvent qu'on pourra le faire, on y trouvera des avantages, notamment celui de pouvoir les évaluer facilement de sorte qu'on pourra plus aisément suivre la progression de l'intervention.

La définition des objectifs spécifiques devrait normalement se faire en fonction de plusieurs variables. La première variable en fonction de laquelle les objectifs devraient être définis c'est évidemment les forces motrices et restrictives sur lesquelles on aura décidé d'agir. En effet, les forces sur lesquelles on aura décidé d'agir, constitueront nos principales cibles d'intervention et pour chacune des cibles, on devrait normalement en arriver à préciser des objectifs.

Présentés ainsi, les objectifs viennent indiquer les différentes étapes intermédiaires qu'on devra franchir pour finalement atteindre la situation désirée ou l'objectif général. Ainsi, l'ensemble des objectifs présente d'une certaine façon une espèce de trajectoire qu'il faut suivre pour se rendre à la situation désirée. En même temps, ils fourniront un cadre consistant qui aidera à dresser le plan d'action.

La formulation des objectifs devrait aussi se faire en fonction du contexte qu'on aura étudié à l'intérieur des activités de diagnostic. Dans la mesure où les objectifs négligeraient de tenir compte des particularités que le diagnostic aura mis en relief, ils risqueraient d'être déphasés par rapport à la réalité sur laquelle on veut intervenir.

Une autre variable qu'on devrait également prendre en considération, c'est l'état des ressources dont nous disposons pour implanter notre changement. Si un intervenant se donnait des objectifs très ambitieux et que par ailleurs il ne disposait que de peu de ressources, ce serait là une indication de l'irréalisme de son projet. Dans cet esprit, l'exercice de formulation des objectifs devient assez souvent un exercice de reprise de contact avec la réalité. Dans la mesure où il devient évident qu'on ne dispose pas des ressources ou du contexte nécessaires pour atteindre nos objectifs, il faut à ce moment-là reconsidérer ces objectifs pour les resituer dans une perspective plus proche des caractéristiques de l'environnement sur lequel on veut agir.

D'ailleurs, on peut se demander si les gens qui ont l'habitude d'intervenir sans se donner d'objectifs spécifiques, consciemment ou inconsciemment, ne le font pas par crainte d'être obligés de reprendre contact avec le réel et par conséquent de devoir réduire leurs ambitions.

Pour notre part, notre conviction est que si l'exercice de formulation des objectifs nous oblige parfois à devenir moins ambitieux ou moins pressés dans nos intentions de changement, d'autre part ils fournissent l'avantage de nous donner davantage de prise sur l'environnement immédiat de façon à ce qu'à moyenne ou longue échéance, on en arrive à implanter notre changement. En d'autres termes, nous croyons qu'il est souvent plus fructueux de réussir des petits pas consécutifs que d'espérer franchir le grand pas!

Dans cet effort de réalisme, nous invitons le lecteur à s'interroger sur l'appartenance des objectifs de l'intervention. Il pourrait facilement arriver qu'on se fasse croire qu'on est en train de définir des objectifs que la plupart des destinataires valorisent. Or, il se peut fort bien que ces objectifs ne contiennent que nos propres voeux, nos propres valeurs, nos propres intentions et que nous généralisions notre perception à l'ensemble des destinataires concernés, sans que ce soit vraiment le cas.

6.6 L'organisation temporelle des objectifs

Lorsqu'on aura défini les objectifs de l'intervention, on pourra les regrouper sous trois catégories temporelles, soit:

- le court terme
- le moyen terme
- le long terme

Ces trois catégories nous permettront d'orchestrer dans une séquence chronologique et probablement stratégique, l'action sur les forces motrices et restrictives sur lesquelles on aura décidé d'agir. On pourra ainsi mieux découper les différents moments de l'intervention et par conséquent mieux la planifier et en mieux suivre l'évolution.

À l'examen de la figure 6.1, on aura compris qu'au fur et à mesure qu'on cheminera vers les objectifs à long terme, la situation devrait graduellement se modifier pour se rapprocher de la situation

FIGURE 6.1

Organisation temporelle des objectifs

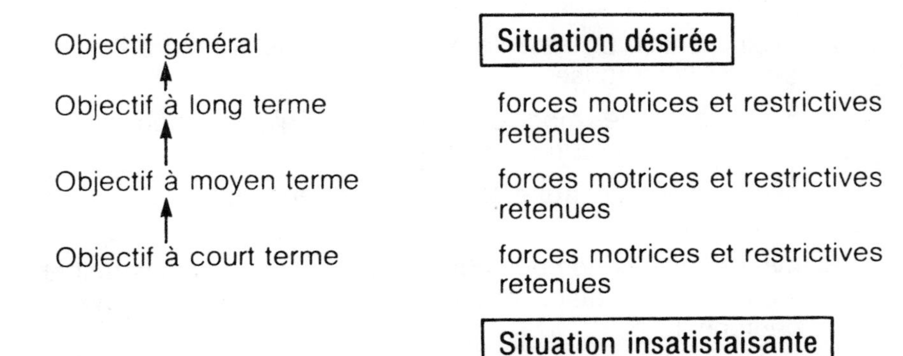

désirée. Aussi, lorsque les objectifs à long terme auront été atteints, on présume que l'objectif général aura par le fait même été réalisé. Sinon, c'est qu'on aura négligé certaines forces qui limitent encore le rapprochement vers la situation désirée. Il faut bien souligner ici que lorsqu'on réfère à la situation désirée, il ne s'agit pas d'une situation idéale à laquelle on aspirerait, mais bien de la situation qu'on aura jugé atteignable, suite à l'analyse des forces.

Prenons l'exemple d'une petite entreprise qui suite à un succès inattendu de ses produits sur le marché aurait connu un accroissement important de la demande et dont la structure organisationnelle aurait été dans l'incapacité de traiter convenablement cette nouvelle demande. Le conseil d'administration de cette entreprise aurait pu définir la situation insatisfaisante de la façon suivante: la structure organisationnelle et l'état des ressources de l'entreprise ne lui permettent plus de fonctionner de façon efficace et satisfaisante à la suite de l'évolution de la demande sur le marché. Le conseil d'administration pourrait définir la situation désirée de la façon suivante: que dans un an, l'entreprise dispose d'une organisation et de ressources lui permettant de doubler son volume de production et de répondre à un marché plus large.

Après avoir fait une analyse de la situation avec les membres de l'entreprise, le conseil d'administration aurait pu se donner les objectifs suivants :

1) avoir dressé un organigramme qui correspond mieux aux caractéristiques de la situation nouvelle ;
2) avoir identifié un modèle de gestion plus adapté à l'expansion de l'entreprise ;
3) avoir identifié les modifications technologiques à apporter au niveau de la production ;
4) avoir trouvé un autre local pour réaménager l'atelier de production ;
5) avoir établi les compétences du personnel (administratif et technique) en place et identifier les besoins en nouveau personnel ;
6) avoir défini et implanté un plan d'aménagement fonctionnel et sécuritaire du nouvel atelier de production ;
7) avoir défini et implanté des mécanismes de recrutement et d'entraînement du nouveau personnel ;
8) avoir identifié des moyens pour maintenir une qualité de vie au travail satisfaisante ;
9) avoir recruté le nouveau personnel administratif et technique requis ;
10) avoir élaboré et implanté des outils de gestion plus raffinés.

Ses objectifs étant définis, le conseil d'administration pourrait les regrouper en fonction de la séquence court-moyen-long terme, comme on peut le voir à la figure 6.2.

En procédant ainsi, on aura classifié les objectifs à l'intérieur d'une séquence temporelle qui informera sur le scénario général ou sur le profil général que devra prendre l'intervention. Précisons ici que les notions de court, moyen et long terme ne réfèrent pas à des perspectives de temps particulières. Dans chacune des circonstances on aura à préciser ce que signifie le court, le moyen et le long terme. Ainsi, si quelqu'un voulait introduire un changement majeur à l'intérieur de l'ensemble de la fonction publique du Québec, le long terme devrait sûrement s'exprimer en termes d'années. Si un intervenant agissait sur un système plus microscopique, une unité

FIGURE 6.2

Un exemple d'organisation temporelle des objectifs

Objectifs à court terme	Objectifs à moyen terme	Objectifs à long terme
Septembre Avoir identifié les modifications technologiques à apporter au niveau de la production. Octobre Avoir identifié un modèle de gestion plus adapté à l'expansion de l'entreprise. Avoir dressé un organigramme qui correspond mieux aux caractéristiques de la situation nouvelle.	Janvier Avoir établi les compétences du personnel (administratif et technique) en place et identifier les les besoins en nouveau personnel. Février Avoir trouvé un autre local pour réaménager l'atelier de production. Avoir défini et implanté des mécanismes de recrutement et d'entraînement du nouveau personnel.	Mars Avoir défini et implanté un plan d'aménagement fonctionnel et sécuritaire du nouvel atelier de production. Avoir recruté le nouveau personnel administratif et technique requis. Avril Avoir élaboré et implanté des outils de gestion plus raffinés. Juin Avoir identifié des moyens pour maintenir une qualité de vie au travail satisfaisante.

d'une trentaine de personnes par exemple, le long terme pourrait s'exprimer en termes de quelques mois.

Rappelons que nous ne cherchons pas à fixer les objectifs dans un scénario cloisonné et rigide. Nous cherchons davantage à orchestrer le déroulement de l'intervention à l'intérieur d'un scénario articulé.

L'organisation temporelle des objectifs aura l'avantage de mieux faire ressortir les liens logiques et stratégiques entre les différents objectifs. Ainsi en procédant à la classification, on pourrait s'apercevoir que si nous avons des objectifs clairs et précis pour le court terme, que par ailleurs on a peut-être négligé de se donner des objectifs à moyen terme, qui pourtant peuvent s'avérer très utiles pour atteindre le long terme.

En même temps, cette organisation des objectifs devrait nous permettre de voir si nos objectifs sont articulés de façon cohérente et sensée. On pourrait découvrir par exemple, qu'on s'est donné un objectif à moyent terme et qu'au plan du court terme, on n'a pas prévu de préalable en vue de cet objectif, préalable qui cependant, pourrait s'avérer nécessaire. Ce serait le cas par exemple si dans un centre hospitalier on souhaitait à moyen terme que les patients fassent un usage modéré des médicaments, sans avoir au préalable développé une attitude en conséquence chez le personnel.

Dans la mesure où nous nous privilégions un mode de planification ouvert, il est évident que si les objectifs à court terme peuvent être très précis, on peut s'attendre d'autre part à ce que les objectifs à moyen et long terme deviennent de plus en plus généraux, sachant qu'ils auront à être précisés lorsque les échéances se rapprocheront.

D'ailleurs, on peut s'attendre à ce que ceux-ci soient plus susceptibles d'être modifiés que les objectifs à court terme, car dépendant du résultat des actions à court terme, l'allure du reste de l'intervention peut changer considérablement.

Enfin, l'organisation temporelle des objectifs fournira l'avantage d'avoir en mains un outil qui nous permettra de réévaluer la perspective de temps qu'on s'était donnée pour conduire l'intervention. Si par exemple, nos objectifs devaient être atteints plus rapidement ou plus lentement qu'il n'avait été prévu, on devra reconsidérer le calendrier qu'on s'était fixé et ainsi, s'ajuster aux aléas de la réalité.

6.7 Des objectifs à l'action

Lorsque les objectifs ont été définis, il faut trouver des moyens qui permettront d'atteindre chacun de ces objectifs et orchestrer ces moyens à l'intérieur d'une stratégie d'action. Pour choisir les moyens on pourra avantageusement faire appel au processus rationnel de solution de problème (PSP)[1] ou à différentes méthodes de créa-

---

[1] Le lecteur intéressé à mieux connaître la méthode du P.S.P. peut consulter le chapitre 10 (p. 195-203) du volume: *Changement planifié et développement des organisations* de Roger Tessier et Yvan Tellier (1973).

tivité[1]. L'important ici est probablement de faire un choix approprié à partir d'un inventaire exhaustif de moyens utilisables.

Quant à l'élaboration d'une stratégie, il faudra y procéder en étant attentif aux différentes caractéristiques de la situation et notamment en prenant en considération la possibilité de résistances au changement. Les trois prochains chapitres seront consacrés à ces questions.

Questions guides

1. *Quels sont les objectifs généraux poursuivis par l'intervention?*
2. *Quels sont les objectifs spécifiques de l'entreprise de changement: à court terme?*
   à moyen terme?
   à long terme?
3. *À la lumière du diagnostic, quels sont les indices qui permettent de croire que ces objectifs sont réalistes?*

---

[1] Le lecteur intéressé à se renseigner sur le sujet pourra entre autres consulter: Parnes, Sidney J. et al. *Guide to creative Action*, New York, Chales Scribner's Sons, 1977, 399 pages.

CHAPITRE VII

LES RÉSISTANCES AU CHANGEMENT

Les résistances au changement

On a souvent tendance à voir le monde en deux camps:
- les intelligents... ceux qui pensent comme nous;
- les autres... ceux qui ne veulent pas comprendre.

Le phénomène des résistances au changement constitue probablement la bête noire de tous ceux qui véhiculent des idées de changements. Pour l'intervenant, les résistances sont habituellement synonymes d'hostilité, d'intrigue, de délais, de polarisation, d'émergence de conflit, d'impatience, etc. Autant de phénomènes qui risquent de contrarier l'intervenant et d'affecter le succès de l'entreprise de changement.

Nous reprenons à notre compte l'opinion de Françoys Gagné: «Le phénomène de résistance au changement constitue un problème central auquel sont confrontées toutes les expériences de changement planifié. S'il n'y avait pas de résistances à dissiper, point ne serait besoin de planifier avec autant de soin des stratégies de changement: il suffirait aux agents de changement de préciser leurs attentes![1]»

Comme on l'a vu précédemment, tout changement significatif dans un système social suppose le passage au moins provisoire d'un état d'équilibre à un état de déséquilibre, avec l'espoir d'atteindre un nouvel état d'équilibre plus satisfaisant. Sachant que les systèmes auraient une tendance naturelle à rechercher un état d'homéostasie, toute tentative de changement risquera de compromettre une telle tendance. Dans cette perspective, on serait en droit

---

[1] Gagné, Françoys. *Vicissitudes d'une expérience de changement planifié basée sur l'évaluation des enseignants par leurs étudiants.* In Tessier R. et Tellier, Y., *Changement planifié et développement des organisations.* Montréal, Les Éditions de l'I.F.G., 1973, p. 681.

de prévoir que le réflexe d'un système sera d'investir plus d'énergie à se protéger des intrants qui risquent de l'ébranler. La résistance au changement devient donc une réaction légitime d'un système qui tente de «maintenir» un état de santé relatif.

Si on poursuit cette logique, on en arrive à déduire que l'expression des résistances au changement joue en quelque sorte le rôle d'un système d'alarme; un peu à la manière de la fièvre qui informe l'humain qu'un agent est en train d'affecter l'équilibre relatif de son organisme.

Aussi, nous suggérons de concevoir la résistance au changement comme une réaction légitime, voire même fonctionnelle. Le pire qu'un intervenant puisse faire en rapport avec les résistances, serait de les considérer à priori comme données négatives et indésirables, ce qui se produit hélas trop souvent chez les agents de changement.

Malgré leur caractère désagréable, on aurait avantage à ne pas les traiter en soi comme positives ou négatives. L'essentiel n'est pas là. Il se situe plutôt au niveau de leur signification. La résistance au changement est un phénomène psychosocial qu'il faut explorer comme tel pour ensuite être en mesure d'adopter des réactions appropriées.

À la limite, on devrait même s'inquiéter s'il ne s'exprimait pas de résistances. On pourrait trouver là des indices que ce que nous percevons comme un changement constitue tout au plus aux yeux des destinataires une modification d'intérêt secondaire, ou encore que le système visé n'a pas vraiment été rejoint, ou encore que le système social croit si peu en notre capacité d'intervenir qu'il n'investit pas d'énergie à réagir. Il va de soi que ces considérations ne tiennent pas pour les cas où l'entreprise de changement suscite de l'enthousiasme chez les destinataires. Encore que dans un tel cas, on pourrait trouver matière à inquiétude car un enthousiasme inconsidéré peut être porteur de déceptions, suivies de démobilisation. À titre de preuve, signalons la vague de démobilisation dans l'enseignement au Québec qui a suivi l'effervescence du renouveau pédagogique des années 60.

Jusqu'à un certain point, on pourrait dire que les résistances au changement imposent à l'intervenant un ajustement de ses perceptions au degré réel de perméabilité du système au changement. Il ne s'agit plus pour l'intervenant de les ignorer et encore moins de tenter de les dénigrer, mais bien d'apprendre à les utiliser et à s'en servir comme levier de changement. Compagnon paradoxal du changement, la résistance tout en étant une expression de vitalité du système, agit en quelque sorte comme garde-frontière et elle plane constamment au-dessus de l'action de l'agent de changement.

7.1 Définition

Définissons la résistance au changement comme l'expression implicite ou explicite de réactions négatives à l'endroit de l'intention de changement. Dans le langage du modèle des champs de force, on dirait qu'il s'agit de l'émergence de forces restrictives[1] en vue de limiter ou de faire obstruction à la tentative de changement.

7.2 La manifestation des résistances

Les résistances au changement peuvent se manifester d'une multitude de façons et pour les saisir, l'intervenant doit être attentif aux différents indices qui s'offrent à lui. Contrairement à une image largement répandue, les résistances ne s'exprimeront pas toujours de façon explicite par le moyen d'hostilité ou de refus. Souvent la résistance se manifeste par des voies indirectes. Parmi les plus répandues, on trouve celles qui suivent:

- questionner de façon tâtillonne les moindres recoins du projet de changement;
- évoquer des doutes quant à la nécessité d'introduire un changement;
- faire de l'intention de changement un objet de ridicule et de dérision;
- référer le projet à de multiples comités d'étude pour en ralentir le processus;
- feindre l'indifférence pour faciliter l'acheminement du projet au musée des oubliettes;

[1] Il peut s'agir de l'apparition de nouvelles forces restrictives ou de l'expression plus intense de forces déjà présentes dans le champ de force.

- «il faut étudier le projet plus à fond, à un moment où nous aurons plus le temps»;
- évoquer douloureusement les mérites d'un passé pas très éloigné où pourtant tout allait si bien;
- argumenter longuement sur des aspects secondaires du changement en s'employant à démontrer jusqu'à quel point il ne sera pas réalisable au plan pratique;
- invoquer la multitude de conséquences fâcheuses qu'entraînera à coup sûr l'implantation du changement;
- s'abstenir de coopérer activement au processus d'implantation;
- exprimer de l'apathie, du désoeuvrement, de la démobilisation;
- adopter une attitude légaliste ou dépendante où désormais on ne fait que ce qui est strictement indiqué et de la manière prescrite, sans égard aux nuances du quotidien;
- ralentir le rythme de travail;
- discréditer les initiateurs du changement;
- profiter de toutes les occasions pour relancer le débat sur le changement en cause;
- faire un écho bruyant à toutes les difficultés rencontrées dans le processus d'implantation;
- utiliser le projet de changement comme bouc émissaire de tous les déboires que peut vivre le système;
- suggérer régulièrement de repousser les échéances d'implantation;
- déclarer une guerre en règle contre le changement ou ses initiateurs;
- utiliser différentes tactiques de sabotage pour alimenter un climat d'adversité;
- amplifier les mérites de la situation actuelle.

Toutes ces illustrations constituent autant de façons d'exprimer des résistances au changement et on pourrait en relever d'autres exemples. Certaines de ces manifestations sont dirigées directement vers l'objet du changement, d'autres le sont indirectement. Elles ont néanmoins toutes le même effet: elles mettent en péril les chances de succès de l'entreprise de changement.

Assez souvent, pour parler de résistance au changement, on utilisera l'expression «résistance passive». La résistance passive est une résistance au changement qui au lieu de s'exprimer ouvertement et directement à l'égard de l'intention de changement, s'exprimera par des voies indirectes ou en sourdine. C'est souvent là le mode utilisé lorsque les gens se sentent impuissants à réagir ouvertement, que ce soit parce qu'ils sentent qu'ils n'ont pas le pouvoir suffisant pour le faire ou parce qu'ils se sentent menacés ou encore parce qu'ils manquent d'audace.

Prenons l'exemple suivant: dans une division d'une entreprise de service, le directeur a décidé de modifier significativement le type de relation à entretenir avec les clients et il a constitué un groupe chargé de procéder à l'implantation de la nouvelle approche. La plupart des cadres intermédiaires qui constituent ses subordonnés n'adhèrent pas à l'intention de changement et après quelques questions pour mettre en doute la pertinence du geste, s'abstiennent de réagir, constatant la détermination du directeur. Ils continuent néanmoins à résister, mais de façon passive. Ils n'offrent aucune collaboration au groupe chargé de l'implantation; ils réussissent difficilement à se trouver du temps pour rencontrer les membres du groupe d'implantation quand ceux-ci en expriment le désir; ils feignent de comprendre difficilement l'objet réel du changement; ils cherchent des occasions de discréditer le responsable du groupe d'implantation sur d'autres dossiers; ils entretiennent une certaine intrigue au niveau de leur personnel; on observe des conciliabules de bureau à voix basse. Toutes ces réactions sont des résistances passives liées au fait qu'ils se sentent impuissants à faire obstruction ouvertement au projet. L'observateur extérieur pourrait croire que le changement suit un cours naturel car les gens ne semblent pas en être affectés. Et pourtant il n'en est rien; ces réactions camouflées suffisent à ralentir le rythme du changement en empêchant celui-ci de pénétrer le système. C'est un peu comme essayer de remorquer un bateau dont les marins auraient pris un malin plaisir à ne pas lever l'ancre; on peut imaginer l'énergie qu'il faut alors investir pour faire bouger le bateau (on peut aussi présumer que le lien le plus faible cèdera: soit le remorqueur, soit l'appareillage de remorquage, soit le bateau, soit l'ancre)!

7.3 La signification des résistances au changement

Au-delà du caractère désagréable des résistances pour l'agent de changement, celles-ci contiennent des informations qui pourront être avantageuses à décoder pour l'intervenant; un peu comme la douleur informe le cerveau que l'organisme subit une contrariété physique ou psychologique.

D'abord, le degré de résistance nous renseigne sur l'importance que le système accorde à la cible du changement. Plus le système réagit fortement, plus on risque d'avoir atteint une zone névralgique. Une action qui viserait à modifier significativement le modèle familial véhiculé dans notre société susciterait sûrement des réactions vives car on déséquilibrerait une institution centrale dans notre société. Donc, l'intensité de la réaction négative du système peut constituer un bon indice du degré de centralité de la cible de changement.

Les résistances nous renseigneront aussi sur le degré de perméabilité ou d'ouverture du système à l'endroit du changement. Pour un objet de changement d'importance seconde, si la réaction est vive, on pourra soupçonner d'être en présence d'un système peu réceptif au changement. Certes on pourra déjà avoir une bonne perception de ce degré de réceptivité. Il n'en reste pas moins que c'est au contact de la réalité qu'on pourra vérifier cette perception.

Les résistances pourront également nous informer de certains effets systémiques[1] que nous aurions peu ou pas pressentis et cette information à elle seule pourrait nous amener à ajouter des éléments imprévus à notre diagnostic. Par exemple, si une commission scolaire décidait de bonne foi de fermer une école dans un quartier pour des motifs de rentabilité et qu'à l'unisson, y compris ceux qui n'ont pas d'enfants, les gens du quartier réagissaient, on pourrait conclure, après analyse que les gens craignent que la vie du quartier en soit affectée, ce qui pourtant n'était pas la cible du changement. On serait alors en présence d'une résistance au changement qui témoignerait d'effets systémiques conséquents au changement.

Enfin, des résistances au changement peuvent révéler à l'agent des erreurs qu'il aurait commises dans l'élaboration de son change-

[1] Effets sur d'autres sous-systèmes non directement visés.

ment ou dans l'approche utilisée pour l'implanter. Nul n'étant à l'abri de l'erreur, il est à prévoir qu'un certain nombre d'intentions de changement, au lieu d'améliorer la situation, risquent de l'empirer si elles sont matérialisées. À cet égard, devant des résistances au changement, l'intervenant aurait avantage à s'interroger sur le mérite réel de son intention. Il est arrivé à des ingénieurs en milieu industriel de vivre des situations de ce genre en tentant d'implanter des innovations technologiques auxquelles les travailleurs ont résisté au premier abord parce qu'ils y percevaient des déficiences et qui par la suite se sont effectivement avérées être des échecs. Un intervenant d'expérience disait lors d'une conférence à un groupe d'étudiants: «quand des résistances commencent à apparaître, ne paniquez pas à essayer de les éliminer. Asseyez-vous, écoutez et essayez d'en décoder les significations véritables. Après seulement, vous serez en mesure d'agir de façon appropriée en assumant peut-être la part d'erreur qui vous appartient».

7.4 Sources de résistances au changement

Regroupons les sources de résistances sous trois catégories:

- les résistances liées à la personnalité
- les résistances liées au système social
- les résistances liées au mode d'implantation du changement.

7.4.1 Les résistances liées à la personnalité

A- LES HABITUDES

Une habitude est souvent plus facile à entretenir qu'à détruire. En fait, une habitude constitue une mesure d'économie; en reproduisant le même comportement, on s'évite de réfléchir à chaque fois sur la façon de faire quelque chose. Tous, nous avons acquis des habitudes, à des degrés divers. Or, quand un changement vient obliger à abandonner une habitude, cela équivaut à demander à la personne d'abandonner un comportement relativement facile et économique pour en adopter un plus difficile ou qui tout au moins pour un temps demandera un effort de réflexion plus important, d'où le réflexe de vouloir conserver l'habitude acquise.

B- LA PEUR DE L'INCONNU

Demain, même s'il doit être meilleur, n'est toujours que demain. Nous connaissons fort bien la trame de notre existence d'aujourd'hui mais en dépit des promesses de tous les agents de changement du monde, demain demeure un inconnu.

Ainsi, dans certaines situations où des gens se plaignaient régulièrement du fonctionnement de leur organisation, on aura vu ces gens résister à des propositions de changement et souhaiter le maintien du statu quo. Ce n'est certes pas que leurs insatisfactions soient tout à coup devenues plus agréables à vivre. Il s'avère cependant que cet environnement est connu et manipulé à la satisfaction relative des intéressés alors que l'environnement qui résulterait de la proposition de changement représente un inconnu.

Or tout projet de changement contient une bonne part d'inconnu, ne serait-ce qu'au niveau de ses chances de réussir. Accepter de s'engager dans l'inconnu, c'est accepter de rencontrer de bonnes comme de mauvaises surprises, avec le risque que l'on regrette éventuellement le passé. En faut-il plus pour que plusieurs se rallient au vieil adage «mieux vaut un je l'ai que deux tu l'auras». Ajoutons que la peur de l'inconnu est souvent inversement proportionnelle au degré de tolérance à l'ambiguïté des personnes.

C- LE PRINCIPE DE PRIMAUTÉ

Nous apprenons à partir d'un processus complexe d'essais et d'erreurs. Lorsqu'une expérience rencontre le succès, celle-ci a tendance à se confirmer et s'installer dans les modèles de comportements de la personne qui l'a réussie. On peut dire de toute personne, à quelque moment que ce soit de son existence, qu'elle représente le résultat d'un grand nombre d'expériences: certaines réussies, certaines non-réussies. Le fait qu'un individu se soit aménagé un environnement plus ou moins satisfaisant, plus ou moins stimulant est en soi l'expression d'un certain nombre d'expériences réussies. Sa façon de se comporter, ses attitudes, ses opinions et ses valeurs représentent un ensemble de compromis relativement satisfaisants. L'individu vit son expérience de compromis comme étant le résultat optimal de son apprentissage. Il est donc difficile, compte tenu de ce qui précède, d'introduire un changement puisque l'ensemble de l'expérience, l'ensemble de la gestalt de l'individu représente le résultat d'un apprivoisement rituel entre lui et son environnement.

D'ailleurs, les recherches en behaviorisme ont bien démontré qu'une expérience réussie constitue un renforcement à reproduire cette expérience. Par conséquent, il faut un certain temps pour que la personne se laisse convaincre qu'une autre façon de faire peut être plus, ou au moins, aussi satisfaisante.

De plus, à la lumière de ce principe on peut soupçonner le degré de résistance que pourra générer un changement qui laisse présager une expérience moins satisfaisante.

D- LA PRÉFÉRENCE POUR LA STABILITÉ

Il semble que nous soyons constamment habités de conflits entre deux ordres de besoins fondamentaux, soit des besoins de stabilité et de sécurité d'une part et d'autre part, des besoins de stimulation et d'exploration. Plus une personne tend à satisfaire ses besoins de stabilité aux dépens de ses besoins d'exploration et de stimulation, plus cette personne tendra à résister à l'altération de ses comportements, de ses attitudes et de ses valeurs.

Pour celui qui valorise la stabilité, le changement sera porteur d'une bonne dose d'anxiété et il pourra rapidement devenir défensif ou hostile ou encore complètement apathique (il cesse d'investir de l'énergie d'une façon ou d'une autre).

E- LA PERCEPTION SÉLECTIVE

La perception sélective est un mécanisme psychologique par lequel l'individu a tendance à sélectionner les informations ou évènements pour ne retenir que ceux qui confirment ses impressions ou ses comportements. Ce mécanisme fait en sorte que les gens en face d'une intention de changement qui les menace auront facilement tendance à retenir surtout les faits et données qui démontrent les mérites de la situation actuelle ou qui mettent en relief les difficultés et faiblesses de la situation désirée.

F- LA SATISFACTION DES BESOINS

Chacun sait que les individus sont guidés dans leurs comportements par des besoins qu'ils tentent de satisfaire. Plus un changement viendra compromettre la satisfaction des besoins, de quelqu'ordre qu'ils soient, plus il risquera de susciter des résistances.

G- L'IDENTIFICATION À LA SITUATION ACTUELLE

Dans plusieurs cas la situation que l'on désire changer a été mise en place par les destinataires eux-mêmes ou encore ils s'y sont fortement identifiés. Ce sentiment d'appartenance fait en sorte que les gens deviennent défensifs à l'endroit de toute action qui vient menacer la situation actuelle, car à travers le projet de changement, ils ont l'impression que c'est leur propre personne qui est discréditée (et c'est d'ailleurs parfois le cas).

7.4.2 Les résistances liées au système social

A- LA CONFORMITÉ AUX NORMES

Lorsqu'une tentative de changement aura pour conséquence de boulerverser l'équilibre des normes actuelles dans un système, la tendance des individus à se conformer aux normes du système engendrera des résistances plus ou moins considérables. Dans certaines organisations, on aura vu des politiques bien pensées et bien formulées ne jamais être respectées parce que contraires aux normes véhiculées dans le milieu comme par exemple la ponctualité aux réunions, le protocole dans les communications, les modalités de prise de décision.

B- LA COHÉRENCE D'UN SYSTÈME

Nous avons vu, quand nous avons parlé de l'analyse systémique, jusqu'à quel point les interactions entre un système et son environnement et entre les points d'entrée, de transformation et de sortie d'un système relèvent de la plus haute cohérence. Quand on veut introduire un changement dans la vie d'un système, on doit tenir compte du fait que la dynamique systémique en est une qui favorise la stabilité et l'homéostasie. Le changement risque de mettre en péril cette cohérence interne et il peut constituer une source de résistance à l'intérieur du système concerné.

C- LES INTÉRÊTS ET LES DROITS ACQUIS

Dans les sociétés industrielles dites avancées, le système socio-économique tout comme les systèmes organisationnels présentent une grande différenciation et une grande hiérarchisation au plan du prestige, du pouvoir, de l'autonomie et des privilèges économiques. Dans la mesure où le changement remet en cause cette différenciation et cette hiérarchisation, on peut s'attendre à de la résistance de la part de ceux dont les intérêts sont menacés.

D- LE CARACTÈRE SACRALISÉ DE CERTAINES CHOSES

Tout groupe organisé, toute société entretient ses balises de comportements et d'attitudes qui portent les noms de tabous, rituels moeurs et éthique. Plus le changement touchera au coeur de ces frontières permissibles, plus la résistance sera forte.

E- LE REJET DE CE QUI EST ÉTRANGER

Ce qui est étranger et inconnu peut être perçu comme menaçant pour le système. Quand l'innovation qu'on veut introduire dans la dynamique d'un système est dissonante par rapport à ce qui existe actuellement dans le système, on peut s'attendre à ce que celui-ci tente de résister à l'intrusion d'un corps dissonant dans sa dynamique.

7.4.3 Les résistances liées au mode d'implantation du changement

Tout ce qui a été dit jusqu'à maintenant sur les sources de résistance au changement vaut autant pour la nature du changement que pour son mode d'implantation. Ajoutons quelques sources de résistances spécifiques liées au mode d'implantation.

A- LE RESPECT DES PERSONNES ET DES COMPÉTENCES

De plus en plus dans notre société on exige que la personne soit respectée et que chacun ait voix au chapitre. Ce contexte a fait en sorte de rendre les gens plus conscients de leur valeur et plus exigeants quant à la prise en considération de cette valeur. Par conséquent, une approche qui négligerait cet aspect aurait de fortes chances de susciter de vives réactions. C'est souvent ce qu'expriment les gens quand ils demandent à être consultés à l'approche d'un changement imminent.

C'est ce qui est arrivé à un cadre qui, nouvellement nommé à la direction d'un service, a voulu imposer son style de gestion en négligeant l'opinion des gens en place. Le résultat de cette approche s'est traduit par une baisse dans le rendement du personnel, par le départ progressif de plusieurs membres du personnel qui sont allés chez un compétiteur et par la nécessité d'investir plus d'un an pour former du nouveau personnel. Ces conséquences ont été tellement importantes, qu'elles ont failli mettre en péril la survie financière de l'entreprise. Ainsi, faute d'avoir pris en considération les personnes en place, le changement loin d'avoir produit les effets escomptés, a produit un effet contraire.

B- LE TEMPS ET LES MOYENS FOURNIS POUR INTÉGRER LE CHANGEMENT

Des résistances peuvent surgir parce que les destinataires ont l'impression qu'on ne leur donne pas le temps nécessaire pour «apprivoiser» le changement ou qu'on ne leur fournit pas les moyens dont ils auraient besoin pour y faire face; ils ont alors l'impression d'être dépassés par les événements. Ce serait le cas si on demandait à des enseignants de changer leur pédagogie sans leur fournir les moyens pour le faire ou sans leur donner le temps de construire un nouveau matériel pédagogique.

C- LA CRÉDIBILITÉ DE L'AGENT

Plusieurs projets de changement se sont heurtés à des murs de résistance parce que ceux qui les véhiculaient ne disposaient pas de la crédibilité suffisante pour le faire. Étant donné toutes les sources d'insécurité qui accompagnent une tentative de changement, les gens pourront essayer de trouver un peu de rassurance chez l'agent du changement. Aussi, si l'image de celui-ci est discréditée ou neutre aux yeux des destinataires, on trouvera là une nouvelle source de résistance. C'est un phénomène qu'on rencontre fréquemment avec les gens marginaux dans les organisations. D'ailleurs il peut arriver que les gens soient tellement occupés par l'image de l'agent, qu'ils négligent de s'intéresser véritablement au type de changement qu'il véhicule. Rappelons-nous à cet égard ce qui a été dit au chapitre II, sur le mécanisme d'identification dans le processus de changement.

7.5 Attitudes à adopter face aux résistances au changement

Il ne saurait être question de prétendre qu'il existe des moyens qui automatiquement permettent d'éliminer une résistance donnée. L'intervenant qui fait face à des résistances doit référer à son diagnostic de la situation et à la signification qu'il trouve à ces résistances pour décider de l'attitude à adopter.

La gamme des choix est large et dépend de l'analyse qui est faite de la situation. Elle peut aller du respect intégral des résistances, ce qui signifie le retrait pur et simple de l'intention de changement[1], jusqu'à l'ignorance totale des résistances, ce qui signifie à toute fin pratique l'imposition, en passant par toute une série d'attitudes plus ou moins radicales.

Parmi les attitudes qui peuvent être adoptées pour diminuer les résistances au changement, et encore une fois dépendant de l'analyse qui aura été faite de la situation, on trouve notamment celles-ci:

a) écouter les expressions de résistances (parfois les encourager) et manifester de l'empathie;
b) exposer le projet à l'influence des gens pour:
   - profiter de leur contribution
   - leur permettre de s'en approprier
   - leur permettre de l'ajuster à leur situation;
c) ajuster la durée de l'implantation aux besoins et capacités des gens (plus lentement ou plus vite, selon le cas);
d) mettre en place les moyens nécessaires pour faciliter la mise en oeuvre du changement;

[1] Soit pour le ramener à un moment plus opportun, soit parce qu'il s'avère impertinent.

e) faire en sorte que le changement puisse satisfaire un ou des besoins perçus;

f) ajuster et le mode d'implantation et la nature du changement à la culture ambiante;

g) mettre en relief les avantages du changement, sans en masquer les difficultés ou faiblesses;

h) réduire dans la mesure du possible la part d'inconnu;

i) réduire dans la mesure du possible les sources d'insécurité;

j) trouver des appuis crédibles;

k) inspirer confiance aux destinataires, autant au niveau de l'image de l'agent qu'au niveau de la qualité du projet;

l) faire preuve d'ouverture quant aux possibilités de révision en cas de difficultés;

m) être attentif pour ne pas être victime d'enjeux de pouvoir, étrangers au projet de changement lui-même.

Ce sont là différentes attitudes que peut adopter l'intervenant pour diminuer les résistances et il y en a sûrement d'autres. Il ne faudrait cependant pas croire qu'on peut et qu'on doit toujours diminuer ou éliminer les résistances au changement. Certaines situations obligeront à «tolérer» ces résistances, sans qu'on puisse y faire beaucoup, en espérant que le produit du changement fasse ses preuves. À l'inverse, il peut être souhaitable dans certains cas que les résistances aient gain de cause sur les intentions de changement, car changement ne signifie pas forcément progrès.

Pour terminer, rappelons que la résistance constitue souvent le compagnon paradoxal de l'agent de changement et que celui-ci doit s'attendre à devoir fréquenter ce compagnon aussi longtemps qu'il sera porteur de changement.

Questions guides

1. *Quelles résistances risquent de se manifester face à l'entreprise de changement?*
2. *Quelle est la signification de ces diverses résistances?*
3. *Si nous étions à la place des destinataires quelle serait notre propre réaction?*
4. *Parmi ces résistances, lesquelles pense-t-on pouvoir diminuer ou éliminer?*
5. *Quels moyens ou scénarios peut-on imaginer pour faire face à ces résistances?*
6. *Dans quelle mesure ces résistances risquent-elles de compromettre l'implantation du changement?*

CHAPITRE VIII

UNE TAXONOMIE DES APPROCHES DU CHANGEMENT

Une taxonomie des approches du changement

Il y a plus d'une façon de faire advenir un changement dans un système organisationnel. Aussi, l'agent aura-t-il à choisir les façons de faire qui lui apparaîtront les plus appropriées pour initier et implanter les changements qu'il poursuit. C'est pourquoi nous présentons dans ce chapitre ainsi que dans le suivant, différents points de repères qui pourront l'aider à faire des choix judicieux. Dans le présent chapitre, nous nous attarderons à une taxonomie d'approches du changement alors que dans le chapitre suivant nous nous intéresserons au choix de la stratégie.

8.1 Les notions d'approche, de stratégie, de tactique

Dans la littérature sur le changement, la signification accordée à ces trois notions varie beaucoup d'un auteur à l'autre. Pour éviter qu'il y ait confusion, nous utiliserons dans cet ouvrage les définitions qui suivent.

8.1.1 La notion d'approche

Une approche réfère à la conception qu'on se fait du changement dans les systèmes sociaux. Assez proche de l'idéologie, l'approche a souvent un caractère théorique et général. Elle traduit le modèle que privilégie l'agent pour aborder la question du changement et par conséquent agit souvent comme reflet de ses valeurs. Par exemple, celui qui utiliserait une approche consensuelle pour envisager un changement éventuel, exprimerait indirectement que sa conception du changement s'appuie sur un système de valeur qui favorise la participation.

8.1.2 La notion de stratégie

Nous retiendrons la définition que Noreau, Tessier et Tremblay[1] donnent à la stratégie: « l'ensemble des moyens et des tactiques mis en oeuvre et des actions engagées par un agent sur un terrain donné en vue d'y atteindre un objectif spécifique ». Pour compléter cette définition, ajoutons que la stratégie est caractérisée par le choix de moyens d'actions qui ont été privilégiés par rapport à d'autres qui auraient pu être retenus.

Ainsi, très souvent la stratégie prendra la forme d'un plan d'ensemble qui, en s'inscrivant dans une approche particulière, identifiera une gamme de moyens et de tactiques qui seront utilisés de préférence à d'autres et qui seront orchestrés les uns par rapport aux autres.

8.1.3 La notion de tactique

La notion de tactique réfère aux actions concrètes qui sont posées et résulte du choix de moyens et de façons de faire qui est apparu le meilleur en tentant d'une part de refléter la stratégie retenue et d'autre part en considérant les différentes opportunités qui s'offrent dans l'environnement. Aussi, la tactique a-t-elle un caractère essentiellement ponctuel et circonstanciel. Elle vient opérationnaliser dans l'action la stratégie privilégiée en indiquant la façon particulière d'agir ou de réagir face à chacune des situations à traiter.

D'une certaine façon, stratégie et tactique recouvrent à peu près la même réalité, sauf que la stratégie a une dimension macroscopique alors que la tactique a une dimension microscopique; la stratégie s'adressant à l'ensemble de l'intervention, les tactiques pour leur part s'adressent à chacune des actions posées.

---

[1] Noreau, J.J., Tessier, R., Tremblay, B. La notion de stratégie de changement. in Tessier, R.; Tellier, Y.: *Changement planifié et développement des organisations*. Montréal, Les Éditions de l'I.F.G., 1973, p. 173.

8.2 Une taxonomie des approches du changement

Dans ce chapitre, nous nous emploierons à présenter différents types d'approches à l'intérieur desquelles l'agent de changement peut articuler ses actions. Chaque type d'approche présente des caractéristiques propres qui viendront colorer les interventions de l'agent.

Pour des fins de compréhension, nous avons classifié les divers types d'approches à l'intérieur de deux typologies qui permettront en quelque sorte de constituer une taxonomie des approches du changement. Les deux typologies retenues sont les suivantes:

- une typologie se rapportant à la conception du changement chez l'humain;
- une typologie se rapportant aux rapports entre l'agent et le destinataire.

Bien que les approches aient été classifiées dans deux typologies, elles ne sont pas forcément différentes en nature d'une typologie à l'autre. En fait, il s'agit de deux portes d'entrée différentes pour avoir accès à une même réalite, mais par des angles variés.

8.3 Une typologie en fonction de la conception du changement chez l'humain

Robert Chin et Kenneth Benne dans l'important volume "The Planning of Change"[1] présentent trois approches en rapport avec la conception que l'on entretient des sources et des motifs de changement chez l'être humain. Ce sont les approches empirico-rationnelles, les approches normatives-rééducatives et les approches coercitives.

[1] Chin, R.; Benne, K.D. General strategies for effecting changes in human systems, in W.G. Bennis, K.D. Benne, R. Chin (Eds): *The Planning of Change* (2e éd.) New York, Holt, Rinehart and Winston, 1969, p. 32-60.

8.3.1 Les approches empirico-rationnelles

A- DESCRIPTION

Ce type d'approches est probablement celui qui est le plus utilisé dans le monde instruit de l'Occident. Il s'appuie sur une tradition pédagogique de plusieurs siècles, fondée elle-même sur le postulat que la personne est d'abord et avant tout un être pensant. Dans le cadre des stratégies empirico-rationnelles, l'agent de changement se voit comme le dépositaire d'un savoir qui légitime son intention de changement. Comme on estime que les gens sont rationnels et feront ce qui est dans leur intérêt, on s'attend à ce qu'ils adoptent des changements dans la mesure où l'on pourra les justifier rationnellement et que les destinataires pourront en percevoir les avantages. Ainsi, ce type d'approches consiste à s'adresser à la raison et à invoquer une série d'arguments qui démontreront le plus rationnellement possible le bien-fondé du changement véhiculé et les avantages à en tirer. En somme, on cherche à convaincre, en présumant qu'une fois convaincus, les gens passeront naturellement de l'idée au geste.

Quelques exemples: un organisme diffuse à des cadres des documents présentant des projets en qualité de vie au travail en souhaitant que cela en amène certains à tenter des expériences de ce genre; un cadre supérieur transmet à tout son personnel une note de service les informant des difficultés financières, dans l'espoir qu'il se produise une augmentation de la productivité; une organisation fait suivre un cours à ses chefs de services sur les nouvelles pratiques en gestion du personnel. Les gouvernements commanditeront de nombreuses campagnes anti-tabac dans l'espoir de modifier le comportement des fumeurs.

On dit de ces approches qu'elles sont empirico-rationnelles parce que d'une part elles s'adressent surtout à la raison des gens et d'autre part parce que pour prétendre à la rationnalité et être convaincants, les arguments invoqués devront être démontrables empiriquement. C'est pourquoi dans une multitude de brochures d'information, on s'efforce d'appuyer l'argumentation sur des expériences qui confirment les arguments avancés.

B- LES FORCES ET LIMITES DES APPROCHES EMPIRICO-RATIONNELLES

Comme ces approches s'adressent d'abord et avant tout à la raison des destinataires elles permettent de s'adresser à un grand nombre de destinataires à la fois. En effet, les approches empirico-rationnelles ne requièrent pas de proximité ou de contact direct entre l'agent et le destinataire. Il suffit d'avoir accès à des moyens de communication de masse et de connaître les techniques qui en facilitent l'impact. De plus, comme la culture occidentale continue de valoriser l'intellect, les approches empirico-rationnelles utilisent un levier de changement familier à notre culture.

Toutefois ces approches touchent à leur limite quand il s'agit de modifier en profondeur des attitudes ancrées chez le destinataire. Nous avons vu précédemment que les attitudes ont une composante affective et que les stratégies de changement qui s'adressent d'abord et avant tout à la raison ne sont pas celles qui promettent le plus de succès à ce niveau.

Ainsi, si ce type d'approche peut affecter les opinions, il risque d'avoir moins d'impact sur les attitudes.

De plus, comme dans les approches empirico-rationnelles, l'information ne circule habituellement que dans un sens, c'est-à-dire de l'agent vers le destinataire, l'agent se trouve peu informé des résultats immédiats de son action et n'est pas en mesure de remettre en cause son ou ses diagnostics au fur et à mesure du déroulement de l'action. D'autant plus que l'agent est souvent alors engagé dans une dynamique défensive où il tient à convaincre l'autre qu'il a raison.

Comme le destinataire ne communique pas de feed-back ou d'information en rétroaction à l'agent, il est en mesure, si le message est anxiogène, de se défendre contre celui-ci de façon fort efficace, en élaborant en circuit fermé des motifs de résistance qu'il ne mettra jamais de l'avant et qui vont se consolider et lui permettre d'être relativement imperméable au message de changement.

8.3.2 Les approches normatives-rééducatives

A- DESCRIPTION

Ces approches s'appuient sur le postulat que la personne est d'abord et avant tout un être social. Tout en ne niant pas la présence de rationnalité chez l'être humain, elles s'appuient sur des postulats différents. Elles estiment que les actions et les comportements sont supportés, renforcés, conditionnés par les normes et valeurs socio-culturelles auxquelles adhèrent les membres d'un système. Ces normes socio-culturelles sont enracinées dans le système d'attitudes et de valeurs de l'individu, lequel système résulte de l'éducation et la culture ambiante.

Dans cette perspective on estime que des changements pourront se produire uniquement lorsque les destinataires changeront leurs normes au profit d'autres normes. Ces changements supposent alors des changements d'attitudes, de valeurs, d'habiletés et de groupes de référence. En fait ces stratégies veulent éduquer les gens à de nouvelles attitudes et valeurs et par conséquent privilégient dans une large mesure l'implication personnelle.

Quelques exemples: les employés d'un service se réunissent en session spéciale pour explorer leurs modes de communication; un professeur d'une école élémentaire organise une classe de neige avec ses étudiants, à la suite de quoi il réunit l'ensemble des professeurs de la même école afin que ceux-ci puissent échanger avec lui leur vision des classes de plein air; dans un cours sur le travail de groupe, les participants expérimentent leur façon habituelle de contribuer à la tâche d'un groupe.

B- LES FORCES ET LIMITES DES APPROCHES NORMATIVES-RÉÉDUCATIVES

Les approches normatives-rééducatives sont probablement celles qui, toute chose étant égale par ailleurs, offrent les plus grandes chances de succès lorsque l'on désire changer des attitudes. En effet, puisqu'elles s'adressent à ce qui sous-tend la formation des attitudes, c'est-à-dire l'environnement psychosocial et normatif, elle permettent d'intervenir directement sur l'univers des attitudes.

Leur principale faiblesse réside dans le fait qu'elles ne permettent pas à l'agent de changement d'intervenir directement et rapidement auprès d'un système social vaste et complet. En effet, les approches normatives rééducatives tendent à faire une utilisation abondante de la structure du petit groupe, lequel est le plus propice à l'éclosion de nouvelles attitudes et de nouvelles normes. En plus, elles ont l'inconvénient de jouer sur un terrain particulièrement délicat: le monde émotif des personnes. Enfin, elles exigent des destinataires une motivation réelle pour accepter de se remettre en question.

8.3.3 Les approches coercitives

A- DESCRIPTION

Quand on envisage le changement sous l'angle des approches coercitives c'est que l'on estime que ce qui gouverne le comportement des humains c'est une loi naturelle fondant l'organisation sociale, et en vertu de laquelle les moins forts doivent céder aux plus forts. Ces approches s'appuient donc sur une utilisation contraignante du pouvoir sous toutes ses formes et visent à punir ceux qui s'écartent du changement proposé et à récompenser ceux qui y adhèrent. Elles consistent à énoncer les nouveaux comportements à adopter et à prendre les moyens pour forcer les gens à les adopter effectivement ou au moins pour sévir auprès des récalcitrants.

Elles supposent que dans les processus d'influence ceux qui ont moins de pouvoir céderont devant ceux qui en ont plus. Par conséquent, pour introduire des changements il faudra d'abord acquérir le pouvoir nécessaire pour ensuite l'exercer. Dans certains cas, on fera appel au pouvoir légitime et on procédera alors souvent par voie de règlements ou de lois. Dans d'autres cas, on fera appel à des formes de pouvoir moins formelles et plus ou moins légitimes afin d'acquérir l'influence recherchée.

Quelques exemples: une personne utilise son autorité dans une organisation pour décréter que désormais l'évaluation des cadres se fera au mérite; en vue d'une prochaine élection municipale, un parti politique est formé et tentera de se faire élire pour ensuite pouvoir modifier les règlements concernant le zonage; des travailleurs ralentissent la production afin d'obliger l'employeur à modifier son attitude à la table de négociations ; un gouvernement adopte une loi qui interdit l'usage du tabac dans les édifices publics.

B - LES FORCES ET LIMITES DES APPROCHES COERCITIVES

Les approches coercitives ont le mérite d'être souvent expéditives. En effet, quand on dispose du pouvoir nécessaire à la réalisation d'un changement dans un système social, la voie coercitive est souvent celle qui est la plus économique en temps et énergie, du moins à court terme.

Toutefois, si ces approches ont le mérite d'épargner du temps et de l'énergie à la phase de la décision, il arrive souvent qu'elles consomment une quantité importante de temps et d'énergie au moment de l'implantation. En effet, quand les acteurs touchés par le changement ont l'impression d'être contraints à suivre une voie qui leur est tracée contre leur gré et qu'ils n'ont pas participé à l'élaboration du processus de changement, ils peuvent être tentés de boycotter ou à tout le moins de ralentir l'implantation du changement et ils disposent pour cela d'une gamme de moyens souvent fort efficaces. Par conséquent, avec ce type d'approche il faut souvent ajouter des moyens pour assurer le respect du changement et cela aussi longtemps qu'on veut que le nouveau comportement dure...

De plus, ces approches peuvent souvent apporter des gains à court terme et être très utiles dans des situations d'urgence, mais dans une perspective à plus long terme elles risquent de modeler les rapports sociaux sur une trame de tension, d'affrontement et de rapports de force qui rendront le fonctionnement du système cahotique.

8.4 Une typologie en fonction des rapports entre l'agent et le destinataire[1]

On peut également envisager les approches du changement sous l'angle de type de relation que l'agent veut ou doit entretenir avec les destinataires. Distinguons ici trois types d'approche : des

[1] Cette typologie est en partie inspirée de : Médard, François. *Communauté locale et organisation communautaire aux États-Unis*. Paris, Armand Clin, 1969.

approches consensuelles, des approches conflictuelles et des approches marginales ou contre-culturelles.

8.4.1 Les approches consensuelles

A- DESCRIPTION

La trame de fond de ces approches se résumerait comme suit: «on va essayer de s'entendre». Comme l'indique le terme consensuel, il s'agit d'approches où l'on veut introduire des changements par voie de consensus de groupe ou de consensus social. Ces approches s'appuient sur la conviction que c'est en suscitant des débats ouverts, permettant à tous les intéressés de contribuer à la recherche et à la définition des solutions de changement, qu'on introduira les changements les plus adéquats en terme de qualité et les plus viables au plan de l'acceptation. Elles supposent également, que des gens de bonne volonté réfléchissant autour d'un problème sont capables de trouver des terrains d'entente satisfaisants. En somme, elles posent que la coopération est possible dans la mesure où l'on se dote de bonnes conditions.

Donc dans les approches consensuelles on tentera d'introduire des changements en amenant les principaux acteurs concernés à partager les décisions quant aux issues et moyens du changement.

Un conseiller en développement organisationnel intervient au sein d'un organisme auprès de deux directions qui sont en état de conflit. Son intervention vise à permettre aux deux parties de mettre sur la table leur perception de la partie adverse et leur perception d'eux-mêmes en tant que groupe. Puis, les deux groupes sont mis en présence et avec l'aide du consultant se dressent un ordre du jour qui comportera nécessairement les différents objets du litige. Il est présumé que ces deux groupes, une fois clarifiées les perceptions qu'ils entretiennent mutuellement et réciproquement, pourront clarifier la situation et s'entendre sur des moyens qui devraient modifier le genre de relations qu'ils entretiennent.

Un groupe de travailleurs et leur employeur décident d'étudier et de convenir ensemble des moyens pour améliorer l'efficacité de l'entreprise. Une équipe d'animateurs profite de l'assemblée des usagers d'un C.L.S.C.[1] pour tenter d'amener la population à formuler plus clairement ses voeux en termes de services et à s'impliquer davantage dans l'élaboration des programmes offerts par le C.L.S.C., ceci afin d'ajuster le plus possible les services de l'organisme aux besoins de la population. Il est donc présumé que les désirs de l'un et l'autre sont compatibles et peuvent mener à une entente.

B - LES FORCES ET LIMITES DES APPROCHES CONSENSUELLES

Une des principales forces des approches consensuelles est qu'elles produisent habituellement un effet de halo assez considérable. En effet, lorsque les approches consensuelles sont utilisées avec succès dans la résolution d'un problème affectant un système, on observe souvent qu'en plus de solutionner le litige qui les opposent, les parties tendent également à se rapprocher de façon significative par rapport à d'autres thèmes que ceux qui sont directement touchés. En fait la mise à jour des aspirations des différents acteurs dans un système social et les expériences de succès en commun sont souvent de nature à favoriser à long terme un rapprochement entre ces acteurs.

De plus, comme le changement implanté résulte d'un consensus, il est relativement rare qu'il persiste dans le milieu concerné des énergies importantes d'oppositions et de revendications. Celles-ci auront eu toute la place et tout le loisir de se faire valoir et d'influencer le déroulement de l'action. La conséquence est donc que les approches consensuelles semblent consommer une partie importante d'énergie et de temps à la phase de décision et une fois la ou les décisions affectant un changement prises par les acteurs concernés, ces approches ne nécessitent que fort peu d'énergie d'entretien aux phases d'implantation du changement.

Elles ont cependant des faiblesses. Premièrement, il faut habituellement que les groupes concernés poursuivent des objectifs ou des intérêts relativement convergents sans quoi tout consensus réel est impossible. Deuxièmement, elles peuvent déboucher sur des concessions tellement importantes de part et d'autre que les résultats obtenus seront très éloignés des besoins exprimés originalement, avec la conséquence que la motivation des gens pourra

[1] C.L.S.C.: Centre local de services communautaires.

baisser ou encore qu'ils auront l'impresion de n'avoir rien changé. Enfin, elles peuvent masquer des enjeux de pouvoir ou des zones de conflit, par ailleurs très réels et ainsi déplacer l'attention sur des cibles de seconde importance, à savoir celles où des consensus sont possibles.

8.4.2 Les approches conflictuelles

A- DESCRIPTION

Ici la toile de fonc semble être: «il faut se battre pour gagner ce qu'on veut». Contrairement aux approches précédentes, celles-ci supposent que les groupes sont inévitablement inscrits dans un système de rapports de force et que leur situation sociale est déterminée par leurs forces ou leurs faiblesses relatives. Par conséquent, pour changer la situation actuelle il faut mobiliser un pouvoir supérieur à celui de l'adversaire. Or, le pouvoir est vu comme une variable à somme nulle avec la conséquence que le pouvoir que s'approprie un groupe est forcément enlevé à un autre groupe social. Il en résulte automatiquement une situation de conflit entre les groupes concernés car on pose que personne à priori n'est intéressé à réduire ses privilèges de façon significative en faveur d'un autre groupe moins puissant. On en conclut alors qu'il faut reconnaître cette réalité conflictuelle et ainsi envisager des moyens appropriés. Comme dans un rapport de force le plus fort l'emporte, il faut alors trouver des moyens pour augmenter notre force ou réduire celle de l'autre afin de gagner la bataille.

Donc les approches conflictuelles consisteront à bien localiser l'adversaire, à engager le conflit et à tenter de le gagner pour obtenir les changements qu'on désire.

Un exemple: le responsable d'un service suscite un conflit avec le service du personnel et tente de se faire des alliés dans d'autres services pour obtenir que soient changées les politiques de recrutement et d'embauche du personnel.

On peut également inclure parmi les approches conflictuelles: les grèves et les lock-out, la révolution, les manifestations publiques, etc.

B - LES FORCES ET LIMITES DES APPROCHES CONFLICTUELLES

Les approches conflictuelles tendent à favoriser la cohésion, la solidarisation au sein du groupe qui s'engage dans un rapport de force contre un adversaire. En effet, on observe depuis longtemps que les situations de conflit sont de nature à aviver les liens entre les partenaires d'une entreprise de changement et sont également de nature à consolider le leadership au sein de ce système. De plus, il arrive qu'une fois mobilisé autour d'un thème de conflit, le système social se mette à faire des gains secondaires souvent importants sur d'autres tableaux.

Ces approches présentent toutefois des difficultés. D'abord il faut que le niveau d'insatisfaction soit suffisamment élevé pour générer assez d'énergie de combat chez les gens. Deuxièmement, il faut que les gens soient très engagés dans le projet pour accepter de prendre des risques liés au conflit (se faire des ennemis, s'exposer à la critique, à l'affrontement). Troisièmement, il faut généralement qu'on puisse obtenir des résultats à court terme sans quoi on s'expose à la fatigue, au doute, au découragement et au défaitisme. Quatrièmement, il faut que les objets de conflit soient clairement visibles afin d'obtenir le plus de crédibilité possible de la part de l'environnement, ce qui amènera les agents de changement à utiliser des tactiques comme la personnalisation de l'ennemi, c'est-à-dire faire porter le poids de la contestation ou du rapport de force sur une personne plutôt que sur un objet vague, abstrait ou anonyme. Enfin, le conflit terminé, il risque de rester des séquelles durables entre les adversaires qui par ailleurs devront continuer à coexiter, sans compter que les perdants pourront entretenir de l'amertume qui les amènera d'une part à ne pas collaborer à l'implantation du changement et d'autre part à trouver toutes sortes d'occasions pour le dénigrer, sinon pour le saboter.

8.4.3 Les approches marginales ou contre-culturelles

A - DESCRIPTION

Ici, le thème fondamental pourrait être: «Changeons pour nous ce que nous avons le goût de changer». Contrairement aux deux autres types d'approche, celles-ci s'appuient sur une rupture plus ou moins prononcée des relations avec les autres groupes de l'environnement. Elle posent, pour différentes raisons, qu'il est inutile de vouloir agir sur les autres pour les changer et qu'il demeure préférable de se changer soi-même, indépendamment des contraintes de l'environnement. En pratique, elles débouchent souvent sur des regroupements plus ou moins formels de gens qui privilégient des changements identiques et qui organisent leur propre environnement de façon à pouvoir introduire ces changements pour eux. En somme, ces gens se retirent de la culture ambiante afin de développer une culture originale qui les satisfasse davantage. Ces approches s'appuient souvent sur l'espoir caché qu'on fera la preuve de la valeur de ces changements et que cette preuve exercera une influence sur le reste de l'environnement.

Sur certains points, ces approches empruntent aux deux précédentes. Elles sont consensuelles dans ce sens qu'elles s'adressent directement à ceux qui veulent et peuvent s'entendre sur les objectifs de changement. Elles sont également conflictuelles en ce sens qu'au plan symbolique, elles communiquent clairement à l'environnement social un désaccord ou un conflit d'intérêt suffisamment important pour que l'on désire s'en retirer.

Quelques exemples d'approches marginales: les communes, certaines sectes religieuses, la mode contre-culturelle avec ses habitudes alimentaires et ses habitudes de consommation, de nouvelles formes d'entreprises de production, de nouvelles formes de possession et d'administration des biens, des expériences d'autogestion.

B - LES FORCES ET LES LIMITES DES APPROCHES MARGINALES OU CONTRE-CULTURELLES

La principale force des approches marginales ou contre-culturelles, réside dans le fait qu'elles permettent aux acteurs qui vivent le changement de se soustraire jusqu'à un certain point aux contraintes qui leur sont imposées par un système social plus large, plus vaste et plus puissant qu'eux. Étant ainsi en marge de ce système, les partenaires du changement auront davantage de lattitude pour expérimenter des formes d'organisation plus compatibles avec leurs besoins. En plus, comme elles n'exercent pas de pressions explicites sur l'environnement, celui-ci peut devenir moins défensif et par conséquent plus vulnérable à certaines nouveautés.

Elles ont toutefois leurs points faibles. D'une part dès qu'un système social se retire d'un environnement plus large pour entreprendre des expériences de vie plus en accord avec les besoins de ses membres, ce système risque de se mettre en état d'insuffisance de renforcements sociaux de la part du macro-système. D'autre part, on a vu que plusieurs expériences marginales ont été récupérées par le système qu'elles voulaient affecter.

De plus, quant à la partie conflictuelle des approches marginales, c'est-à-dire cette partie de l'approche qui fait que secrètement on entretient l'espoir de communiquer au macro-système un désaccord tel qu'il puisse être influencé à changer, on peut affirmer sans trop de crainte de se tromper que le système économique dans lequel nous vivons est en mesure de tolérer une très large part de distance sans que son processus de production ne soit significativement affecté.

8.5 Le choix d'une approche

Selon la conception qu'il entretient du changement dans les systèmes humains et / ou selon le type de rapport qu'il veut entretenir avec les destinataires, l'agent aura tendance à privilégier l'une ou l'autre des approches qui ont été présentées. En fait, l'approche qu'il retiendra sera en bonne partie le reflet de ses valeurs.

Par ailleurs, plus l'agent sera conscient du choix qu'il est spontanément tenté de faire, plus il sera en mesure d'évaluer si cette approche est pertinente dans la situation particulière à laquelle il fait face et par conséquent moins il risquera d'être victime de ses propres déterminismes culturels. En effet, il est vraisemblable que l'approche pour laquelle il opterait spontanément puisse être inappropriée compte tenu des caractéristiques de la situation. Ce serait probablement le cas si quelqu'un optait spontanément pour une approche consensuelle dans un contexte où les destinataires manifesteraient de façon évidente un refus à toute forme de changement significatif. Ce serait aussi le cas si, dans un contexte où les gens seraient définitivement ouverts à la négociation, l'agent s'engageait dans une approche conflictuelle.

En conséquence, on ne devrait pas considérer l'une ou l'autre des approches qui précèdent comme bonne ou mauvaise, malgré que nos valeurs personnelles pourront nous commander d'en privilégier certaines et d'en ignorer d'autres. En fait, c'est l'analyse qui aura été faite de la situation qui devrait guider dans le choix de l'approche, celle-ci déterminant par la suite le genre de stratégies auxquelles on aura recours.

Jusqu'ici, les diverses approches ont été présentées de façon pures et cloisonnées. Dans la réalité, les occasions seront nombreuses où il faudra inventer des scénarios d'action qui empruntent à plus d'une approche ne serait-ce que pour tenir compte de l'évolution des situations. Ainsi, dans certains cas on pourra passer d'une approche conflictuelle à une approche consensuelle ou l'inverse. Dans d'autres cas on pourra combiner des approches.

Le chapitre qui suit fournira une grille qui aidera à faire l'analyse de la situation pour mieux choisir la ou les stratégies à adopter.

Questions guides

1. *Quelles sont les différentes approches qui pourraient être utilisées pour implanter le changement?*

2. *Par rapport à la situation qu'on veut changer, quelle forme pourrait prendre une approche:*

   A-*de type empirico-rationnelle?*

   B-*de type normative-rééducative?*

   C-*de type coercitive?*

   D-*de type consensuelle?*

   E-*de type conflictuelle?*

   F-*de type contre-culturelle?*

3. *Quelles seraient les forces et limites de chacune de ces approches?*

4. *En s'inspirant de l'ensemble de ces divers types d'approches, quels pourraient être les différents scénarios d'intervention?*

CHAPITRE IX

LA DIMENSION DU POUVOIR ET LE CHOIX D'UNE STRATÉGIE

La dimension du pouvoir et le choix d'une stratégie

À ne rien faire, on peut en arriver à croire qu'il n'y a rien à faire.

En s'inspirant de l'approche qu'il veut privilégier, l'agent devra développer une stratégie qui lui permettra d'identifier et d'agencer les différentes actions qu'il devra poser à l'intérieur de l'intervention de changement.

Nous avons présenté dans les pages qui précèdent, une certaine méthodologie de l'action sur les systèmes organisationnels, ainsi que différentes approches pour agir. Nous tenterons maintenant de développer quelques considérations théoriques et pratiques sur le choix d'une stratégie en nous intéressant spécialement à un volet souvent négligé dans une entreprise de changement: celle du pouvoir de l'agent à l'intérieur du réseau de relations qui irriguent le champs de son intervention.

Les notions de pouvoir et d'influence se situent au coeur même de la vie des systèmes sociaux. En effet, la mise en valeur de même que l'exploitation des ressources d'une organisation supposent l'existence de réseaux plus ou moins formels à travers lesquels les intentions de modelage des ressources s'expriment. Or, l'action de l'agent de changement s'opère précisément à l'intérieur même de ces réseaux qu'il désire affecter soit dans leur configuration, soit dans leurs produits et faute d'en tenir compte, l'agent gardera dans l'ombre une partie importante du réel.

9.1 Le pouvoir et ses mystifications

Pouvoir! Le mot même est tellement chargé d'émotivité et de significations multiples, qu'on risque, à vouloir lui prêter un contenu, de se disqualifier à la foire aux étiquettes idéologiques. Il est presque devenu le mot inducteur de notre temps; celui à partir duquel fusent, au gré des intérêts particuliers, les plus libres associations:

- «Le pouvoir corrompt»
- «Pouvoir-manipulation»
- «Pouvoir-imposition-coercition»
- «Le pouvoir est au bout du fusil»
- «Le pouvoir à tout prix»
- «Pouvoir-structures phalliques»
- «Pouvoir-consensus-démocratie»

Dans cette auberge espagnole (on y trouve ce qu'on y apporte), il est certes tentant pour l'agent de changement de trouver la formule définitive, la vraie formule; celle qui garantirait à coup sûr l'atteinte des changements les plus significatifs et les plus durables. Vaut-il mieux s'assurer une large participation de la part de ceux visés par un changement? Est-il préférable de dévoiler, dès le départ, nos intentions de changement? Faut-il consulter, inciter, imposer? Autant de questions auxquelles plusieurs souhaiteraient obtenir une réponse simple, unique et définitive, mais auxquelles on ne saurait répondre intelligemment sans considérer à chaque fois un grand nombre de facteurs. En effet, nous estimons que seul un examen sérieux du contexte particulier dans lequel se déroule une intervention peut nous permettre de faire des choix éclairés et efficaces. Lorsqu'il est question de la notion de pouvoir dans le contexte du changement, il convient de ne pas se laisser prendre au piège des théories «simples et souveraines», et il faut se résoudre au caractère inéluctablement situationnel des jeux d'influence.

9.2 Une définition du pouvoir

Dans cet esprit, puisqu'il s'agira de comprendre les interactions de pouvoir, une définition interactionnelle sera retenue. Nous proposons la définition que Peter Blau[1] donne du pouvoir: «...la capacité qu'a un individu ou un groupe d'obtenir que quelqu'un fasse ou pense quelque chose qu'il n'aurait ni fait ni pensé autrement».

Cette façon d'envisager les phénomènes de pouvoir est donc très proche de ce que nous entendons par changement dans un système social. En effet, il y est question d'obtenir que quelqu'un fasse ou pense quelque chose qu'il n'aurait ni fait ni pensé autrement.

Pouvoir et changement sont donc intimement liés et l'on ne peut imaginer l'exercice de l'un sans la présence de l'autre. Qui a du pouvoir obtient des changements; qui fait changer a eu du pouvoir. Pour mettre davantage en lumière la centralité de l'exercice d'un certain pouvoir par l'agent de changement, revoyons quelques champs classiques d'intervention soit: les petits groupes, les organisations formelles et le développement communautaire.

9.2.1 Les petits groupes

Le psychologue québécois Yves St-Arnaud s'est beaucoup intéressé à la cohésion et à l'efficacité dans les groupes restreints. Dans sa théorie du groupe optimal[2], il affirme qu'un groupe à pleine maturité en est un qui utilise de façon «optimale» ses énergies de production, de solidarisation et d'entretien. Par extension, on pourrait dire, pour tenir compte de la dynamique du pouvoir lors d'une intervention au sein d'un petit groupe, que l'action de l'animateur de groupe consiste à «obtenir que les membres pensent et agissent de façon à optimaliser l'utilisation qu'ils font de leurs énergies de production, de solidarisation et d'entretien» et que cette optimalisation ne se serait pas concrétisée, du moins pas aussi rapidement sans l'intervention de l'animateur. Il y a donc là exercice de pouvoir.

9.2.2 Les organisations formelles

Les organisations formelles constituent un champ d'action très fécond pour les agents de changement. Qu'on pense seulement aux nombreuses interventions de développement organisationnel, de qualité de vie au travail et d'écologie organisationnelle qui se font

---

[1] Blau, Peter. *Exchange and Power in Social Life.* New York, John Wiley and Sons, 1964, 352 p.

[2] St-Arnaud, Yves. *Les petits groupes, participation et communication.* Montréal, Les presses de l'Université de Montréal, Les Éditions du CIM, 1978, 176 p.

dans les grandes bureaucraties gouvernementales pour ne nommer que celles-là. Pour reprendre les termes de Beckhard, l'agent de développement organisationnel « intervient pour aider l'organisation à mettre en cause ses processus, de façon a augmenter sa santé et son efficacité ». Là encore, on s'aperçoit que l'agent de changement doit obtenir que le système-client pense et agisse de façon à promouvoir cette mise en cause de ses processus.

9.2.3 Le développement communautaire

On peut, en paraphrasant Alinsky, décrire le développement communautaire comme étant le fait de promouvoir la cohésion des membres de la communauté afin que ceux-ci puissent faire reconnaître leurs droits et trouver satisfaction à leurs besoins. Ainsi, l'agent de développement communautaire doit-il obtenir que les membres de la communauté pensent et agissent de façon à faire reconnaître leurs droits et à satisfaire leurs besoins.

9.3 Les sources de pouvoir

Comme nous l'avons déjà souvent souligné, il n'existe pas de « bonne » façon d'influencer pas plus qu'il n'existe d'unique source de pouvoir, fut-ce l'argent, la légitimité, l'information. Personne n'a encore réussi à cerner de variable unique qui expliquerait convenablement que tel acteur, dans telle situation soit en mesure d'obtenir de tels autres acteurs tels comportements. Ce n'est donc pas tant le fait de détenir telle information ou tel moyen de production qui permet à quelqu'un d'avoir du pouvoir dans une situation donnée mais bien le fait que cette information ou ce moyen de production soit valorisé par ceux que l'on veut influencer. Nous définirons donc la source du pouvoir comme étant :

> ... la détention réelle ou présumée des ressources valorisées par les personnes visées.

Compte tenu de ce qui précède, il nous apparaît souhaitable que l'agent de changement résiste à l'attrait du dogme, quel qu'il soit, pour s'adresser à la tâche plus complexe mais plus féconde de dépister les ressources qui sont valorisées par le système visé et de voir à afficher et mobiliser ces ressources dans l'action. Ce processus de dépistage et de mobilisation des ressources propres à assurer le pouvoir de l'agent de changement, peut être découpé grossièrement en quatre types d'opérations ou de préoccupations.

9.3.1 Savoir ce que ceux qui doivent être influencés valorisent

Sachant que l'agent n'aura de pouvoir dans son intervention que dans la mesure où il détiendra ou semblera détenir des ressources valorisées par ceux dont il voudra affecter les conduites, il devient évident que celui-ci doit identifier correctement les ressources dont ceux-là ont besoin et qu'ils valorisent. Ces ressources peuvent être très concrètes, (argent, force physique, formation académique) ou plus impalpables (connaissances, façon de s'exprimer, mémoire, culture). Ce processus de valorisation des ressources est soumis à des tensions permanentes entre la turbulence des évènements et la culture du système social où ceux-ci se produisent et l'agent devra tenir compte de ces deux aspects dans l'analyse qu'il fera des besoins et caractéristiques du système concerné.

FIGURE 9.1

Variables culturelles et contextuelles dans l'exercice de l'influence

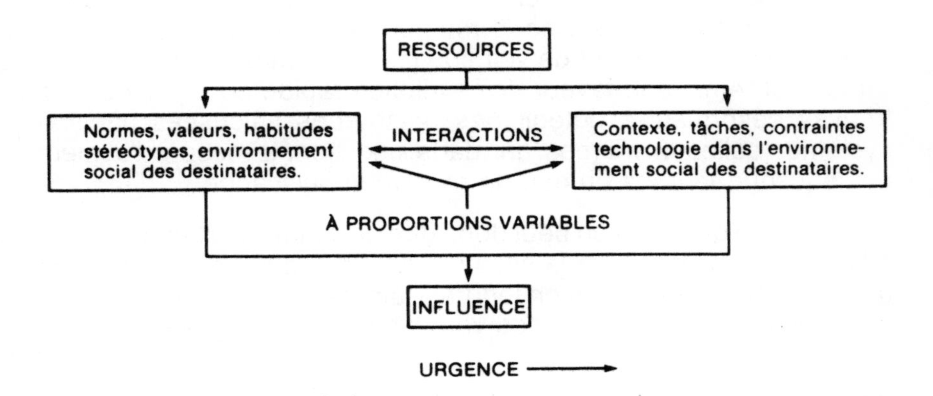

Dans la figure 9.1, on peut voir que les ressources sont symboliquement décodées par les destinataires de l'influence et ce, à proportions variables par des impératifs soit culturels, soit contextuels. En effet, les ressources que détiennent les partenaires d'une entreprise de changement ne sont pas valorisées de façon absolue et permanente, mais de façon situationnelle. À tel moment, le fait que l'intervenant soit étranger à la culture du système se révèlera être un handicap. Toutefois, à la faveur d'une situation d'urgence, il se pourrait que l'agent de changement détienne des atouts majeurs aux niveaux de la tâche ou du contexte particulier.

Citons cet exemple du membre d'une équipe de travail qui était marginalisé par les autres membres à cause de ses manières un peu agressives et de sa tendance à générer des conflits avec ses partenaires, ce qui contrastait avec la culture de ses pairs qui eux privilégiaient la bonne entente et un langage courtois. Il en résultait que ses différentes tentatives d'influencer l'équipe sur divers aspects se soldaient souvent par un échec. Vint un jour où la survie de l'équipe fut menacée par des pressions d'autres groupes dans l'organisation qui contestaient ses pratiques et même son existence. L'équipe dût alors mobiliser ses ressources pour se défendre de ces agressions et exprimer son point de vue. Il s'avéra que la personne la plus habile à transiger dans un tel contexte était le membre marginalisé, car il disposait de ressources personnelles qui coïncidaient avec les besoins de la situation. Il se trouva donc à ce moment dans une position où il pouvait aider l'équipe à poser des actions susceptibles de maintenir l'intégrité de l'équipe et de fait celle-ci devint réceptive à son influence. À cause de cet évènement dans l'environnement du système le membre vit ses ressources tout à coup valorisées au point de voir son influence augmenter considérablement. Ainsi à la faveur de l'évolution rapide du contexte il se trouvait désormais à détenir des ressources valorisées par son système; celles-là mêmes qui dans une bonne mesure l'avaient placé jusque-là dans un état de relative impuissance.

De façon générale on peut donc dire qu'il faut constamment être à l'affut de l'évolution de la situation sur l'axe culture / contexte, et que l'urgence d'une situation tendra à faire se déplacer le processus de valorisation des ressources vers les variables contextuelles.

9.3.2 Connaître ses propres ressources

Puisque le pouvoir de l'intervenant s'appuiera sur ses ressources, il devient évident qu'il aura intérêt non seulement à bien les connaître mais encore à les développer de façon à disposer d'un ensemble de ressources variées et riches. Cela lui permettra d'avoir cette indispensable flexibilité qui fait que les agents les plus habiles sont ceux qui peuvent, avec une égale aisance se mouvoir dans des cultures différentes et dans des contextes variés.

9.3.3 Communiquer la correspondance entre ses ressources et les besoins du système

Il ne suffit pas que l'agent de changement détienne certaines ressources et que celles-ci soient de celles qui sont valorisées par ceux qu'il désire influencer. Encore faut-il que les acteurs-cibles soient informés du fait que l'agent détient des habilités, caractéristiques personnelles, contacts personnels ou informations qui seraient de nature à leur être utiles. L'agent doit donc faire en sorte de communiquer soit explicitement, soit implicitement, les informations nécessaires à l'établissement de sa base de pouvoir. Toutefois cette opération pourrait s'avérer particulièrement délicate dans un environnement qui valoriserait la modestie, car alors, l'agent, voulant rendre ses ressources explicites, risquerait d'afficher par le fait même une ressource dévalorisée, celle de l'assurance en ces moyens.

9.3.4 Savoir ce que soi-même, on valorise

Les processus de pouvoir s'exercent rarement à sens unique. L'agent de changement ne peut espérer entretenir des rapports unidirectionnels avec les destinataires de son intervention. Dans la perspective éventuelle d'échanges, il est important que l'intervenant soit au clair quant à ce que lui-même valorise. Aura-t-il besoin de l'engagement explicite de telle figure d'autorité pour mener son intervention à terme? Risque-t-il de compromettre sa propre position dans un système dont il fait partie? Ressent-il, au moment de son intervention, le besoin d'être accepté, confirmé, apprécié? Voilà autant de questions qui appellent des réponses aussi lucides que possible, sans quoi on risque de prendre des virages inopportuns afin de sauvegarder ce que l'on croit être en péril. Il importe donc que l'agent de changement clarifie ces «aires aveugles»; non pas tant qu'il faille devenir un ascète spartiate, mais parce qu'il doit être en mesure de prévoir minimalement les voies par lesquelles il risque de se voir neutralisé.

9.4 Une illustration

Afin de mieux illustrer le genre de démarche à laquelle nous faisons allusion, voici un exemple d'intervention où l'intervenant, au fur et à mesure que se développe sa relation avec le système, voit à maintenir et à consolider cette base de pouvoir sans laquelle il lui est impossible d'agir de façon significative. Nous avons placé en exergue des commentaires critiques partant de la grille d'analyse que nous avons jusqu'ici développée. L'action se déroule au sein d'un département d'un CEGEP[1]. Elle met en présence, lors d'une rencontre de prédiagnostic, un consultant et les deux représentants à la coordination départementale.

Description	Commentaires
RCD 1[2] - Nous voulons que tu nous aides à prendre une décision en groupe concernant la distribution du travail au département. Depuis plusieurs années, nous avons laissé s'installer une situation qui privilégie certains d'entre nous alors que d'autres ont des charges plus considérables. À chaque fois que nous avons tenté de changer la situation, nous nous sommes retrouvés avec des conflits, de la rancune et l'impression d'être dans un cul-de-sac.	
CONSULT - Quels sont les objectifs que vous souhaitez atteindre au terme de cette intervention?	Qu'est-ce que vous valorisez?
RCD 1 - Nous voulons nous retrouver avec une distribution équitable.	La justice et l'équité
RCD 2 - ...et que les gens soient satisfaits.	...et l'harmonie

[1] CEGEP: Collège d'enseignement général et professionnel.

[2] RCD: Représentant à la coordination départementale.

CONSULT - Tous les gens?

Jusqu'à quel point valorisez-vous l'harmonie? Beaucoup?

RCD 1 - Bien...oui.

Beaucoup

CONSULT - Qu'avez-vous fait jusqu'à maintenant pour tenter de solutionner le problème?

Avez-vous ou avez-vous eu accès à d'autres ressources pour obtenir ce que vous valorisez?

RCD 1 - Nous l'avons abordé plusieurs fois en réunion départementale mais nous sommes peut-être trop nombreux...

Nous n'avons pas dans le groupe les ressources nécessaires pour s'en sortir.

RCD 2 - Nous avons aussi fait appel à un consultant en relations humaines Nous nous sommes expliqués sur certains vieux conflits. Nous avons alors cru que ça irait mieux après et que nous pourrions mieux nous attaquer au problème du partage des tâches, mais...

Nous avons valorisé la bonne entente et avons fait appel à quelqu'un qui détenait les ressources nécessaires pour nous y aider mais cela a échoué. Nous avons clarifié les relations, mais le problème n'est pas solutionné.

CONSULT - Combien y a-t-il de personnes qui soient actuellement avantagées par la situation?

Si je tente d'influencer la situation, combien de personnes dévaloriseront mes ressources?

RCD 1 - 4 ou 3 sur un groupe d'environ trente personnes.

Une minorité (15%)

CONSULT - Et vous-mêmes, faites-vous partie de ceux qui y perdraient à ce que la situation change; en d'autres mots, la distribution actuelle vous avantage-t-elle?

Cette minorité détient-elle des ressources valorisées par le groupe?

RCD 2 - Moi je fais partie de ceux dont on dit qu'ils sont avantagés par le système actuel. Je suis prêt à le revoir, mais pas à n'importe quel prix. Je ne veux pas remplacer une injustice par une vengeance. C'est pourquoi je trouve important qu'on y aille prudemment et qu'on tente de trouver un consensus afin de s'assurer que les gens soient satisfaits.

L'un des deux RCD en fait partie. Il valorise le fait d'être perçu comme étant de bonne foi. Il détient des ressources que le consultant valorise et n'appuiera celui-ci que dans la mesure où le changement est raisonnable.

CONSULT - Dans l'état actuel de votre demande, je crains de ne pas pouvoir vous aider. Vous me semblez poursuivre de bonne foi, deux objectifs opposés et, il n'est pas étonnant que jusqu'ici, vous n'ayez pas réussi à vous entendre. J'estime moi aussi qu'il faut protéger la qualité de la vie départementale et, qu'en règle générale, le mode consensuel favorise le maintien d'un climat vivable. Toutefois je ne crois pas qu'il soit réaliste de rechercher un tel consensus quand il s'agit d'enlever des privilèges à un sous-groupe. De deux choses l'une; ou bien vous voulez rétablir un certain équilibre dans la répartition des tâches, ou bien vous voulez préserver le «déséquilibre harmonieux» dans lequel vous vous trouvez. Pour vous aider il faudrait que vous ou les gens concernés choissisent l'une ou l'autre des options.

Vous avez essayé d'autres avenues et cela n'a rien donné. Vous valorisez l'équité et j'ai des ressources professionnelles qui peuvent vous aider à l'obtenir. J'ai des attitudes proches de celles de RCD 2 mais, je refuse en toute intégrité de poursuivre l'illusion du consensus. Je valorise votre appui éventuel mais pas au point de le payer du prix de ma liberté de manoeuvre.

Voici donc comment les préoccupations autour de la question du pouvoir restent en latence et colorent les relations entre l'agent et le client.

En plus des stratégies d'acquisition du pouvoir comme celles que nous avons examinées, on rencontrera des stratégies de neutralisation et de maintien. Toutefois, la présentation de ces autres niveaux de stratégie déborderait largement le cadre de ce chapitre.

9.5 Pouvoir et choix d'une stratégie

Ayant esquissé les grandes lignes d'une théorie sur l'exercice du pouvoir dans les systèmes sociaux, nous pouvons maintenant nous attaquer à la question du choix d'une stratégie.

Comme l'acceptation du changement de la part des destinataires s'opère essentiellement au travers d'un processus d'influence, l'agent devra accorder une attention particulière aux processus d'influence à l'intérieur de sa stratégie, pour ensuite trouver les moyens auxquels il fera appel. Il aura donc avantage à s'interroger sur ses sources de pouvoir de façon à évaluer comment il tentera de répartir l'influence entre lui et les destinataires. Comme nous l'avons déjà souligné, plus l'agent détiendra des ressources valorisées et que celles-ci seront connues des destinataires, plus les destinataires seront vulnérables à son influence.

Dépendant de la quantité et de la qualité des ressources qu'il détiendra, l'agent pourra faire appel à toute une gamme de stratégies qui iront de l'imposition jusqu'à la non-intervention sur le contenu (laisser-faire). On peut illustrer sept de ces stratégies[1] à l'aide du tableau de la figure 9.2 où sont départagés le pouvoir de l'agent et celui du destinataire.

Dans la logique de ce tableau, on présume que plus l'agent détiendra des ressources valorisées par les destinataires par rapport à la cible de changement, plus il aura de pouvoir et par conséquent, plus il lui sera loisible d'utiliser des stratégies se rapprochant de l'imposition. À l'inverse, moins l'agent détiendra des ressources valorisées par les destinataires, moins il aura de pouvoir et par conséquent moins il lui sera possible d'utiliser des stratégies contraignantes.

Il faut bien remarquer que la position de chaque stratégie sur l'axe diagonal ne correspond pas à un pourcentage absolu de pouvoir. Elle indique davantage un ordre de grandeur qu'un chiffre magique, une zone plutôt qu'un lieu fixe.

Dans la dynamique du tableau, chaque point sur l'axe diagonal suggère la stratégie la plus contraignante que l'agent peut avec réalisme se permettre d'utiliser, compte tenu de la quantité de pouvoir qu'il détient. Toutefois, si à un degré de pouvoir donné il ne peut se permettre de recourir aux stratégies qui nécessitent plus de pouvoir, il pourra néanmoins faire appel à toutes celles qui en exigent moins.

---

[1] Le lecteur intéressé pourra consulter le chapitre II du volume *Changement planifié et développement des organisations* de Tessier, R. et Tellier, Y. où Roger Tessier présente dans un tableau à deux variables, douze tactiques de changement. Pour notre part, nous avons voulu nous restreindre à un plus petit nombre.

FIGURE 9.2

Sept stratégies en fonction du pouvoir de l'agent[1]

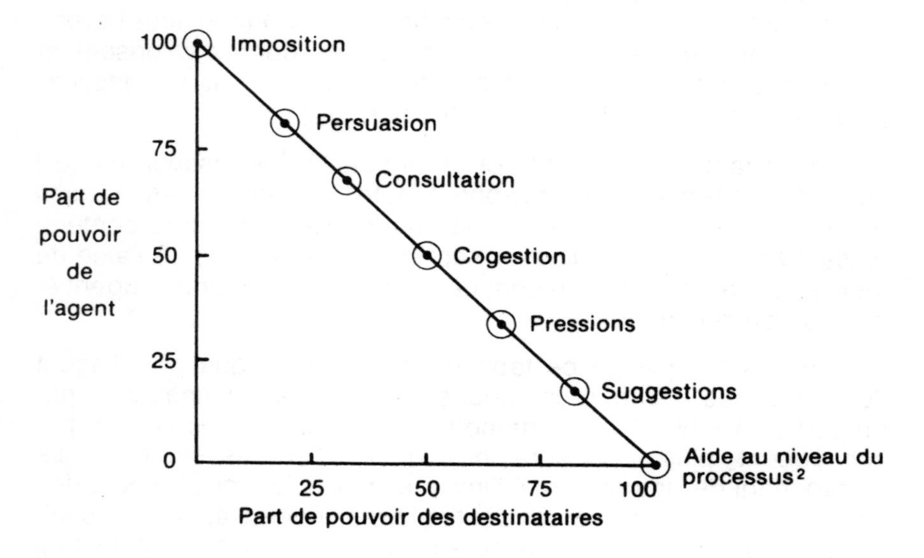

Soulignons qu'on doit situer l'agent dans ce tableau en fonction du pouvoir réel qu'il détient et non en fonction de ses ambitions. Ainsi, on aura souvent vu des gens très engagés quant aux idées qu'ils véhiculent, qui n'ont jamais pu user de stratégies autres que de suggérer, car ils ne détiennent que fort peu de pouvoir réel (qu'il soit formel ou informel). Il ne s'agit pas ici d'un blâme à leur endroit, mais davantage d'une description de leur véritable situation et des limites qu'ils rencontrent dans leur action.

Enfin, insistons pour dire que le tableau n'indique pas la stratégie que l'agent devra nécessairement utiliser. Le tableau ne fait que

---

[1] L'esprit de ce tableau a initialement été imaginé par Robert Schneider, de même que plusieurs des commentaires de la section 9.6.

[2] L'expression «Aide au niveau du processus» a été utilisée en remplacement de «laisser-faire» car le laisser-faire constitue une non-intervention sur le contenu, alors qu'il est vraisemblable qu'en l'absence d'influence potentielle sur le contenu du changement, l'agent désire quand même intervenir et il peut alors le faire au niveau du processus (cf. section 9.5.7.). Cela ne suppose pas cependant qu'il ne puisse pas être attentif au processus au niveau des autres stratégies, au contraire.

préciser la stratégie la plus contraignante qu'il peut utiliser, étant donné les ressources qu'il détient, mais il pourrait très bien arriver pour diverses raisons, qu'il choisisse une stratégie autre que celle suggérée.

Pour des fins de compréhension, il convient de reprendre chacune des sept stratégies pour clarifier comment le pouvoir de l'agent se différencie de l'une à l'autre.

9.5.1 L'imposition

Dans l'imposition, l'agent dispose de ressources très valorisées par les destinataires. Ces ressources sont à ce point valorisées que le destinataire perçoit que pour sa part il ne détient que peu de ressources pour contrer celles de l'agent. Le plus souvent, il s'agira du contrôle légitime des moyens de sanction et de récompense dans le système, qui ont pour effet de placer l'agent dans une position d'autorité. S'il ne détient pas ce contrôle légitime, il peut recourir à des moyens illégitimes pour imposer quand même ses objectifs et il s'agira alors le plus souvent de l'usage de la force, qu'il se sera approprié contre le gré des membres du système.

9.5.2 La persuasion

Dans la persuasion, l'agent n'impose pas formellement son point de vue, mais il tente à toute fin pratique de l'imposer informellement en insistant auprès des destinataires pour qu'ils acceptent ses objectifs de changement. Or cette approche sera efficace dans la mesure où l'agent détiendra des ressources qui, sans lui donner un contrôle absolu de la situation, feront craindre aux destinataires des conséquences désagréables s'ils ne cèdent pas aux incitations de l'agent ou leur feront entrevoir la possibilité de gains ou de récompenses.

Ainsi, sans avoir le pouvoir d'imposer ses objectifs, l'agent en a quand même suffisamment pour croire que les destinataires préféreront adopter son point de vue soit pour éviter de s'exposer à d'éventuels désagréments, soit parce qu'ils accordent de la crédibilité à ses arguments.

Ce type de stratégie est assez souvent utilisé par des personnes en position d'autorité qui, plutôt que d'imposer, choisissent du moins dans un premier temps, de persuader afin de paraître moins contraignantes. On aura cependant compris que les gens ne sont pas toujours dupes et que sous la couverture de la persuasion, ils auront quand même senti le profil de l'imposition. D'où probablement des expressions comme: «le patron suggère fortement que...»

On aura aussi connu des stratégies titrées de «consultation», qui en fait s'exerçaient sous la forme de la persuasion, mais qui finalement camouflaient la menace de l'imposition.

On aura vu aussi des situations où à cause de sa grande crédibilité, l'agent n'aura eu qu'à exprimer ses arguments pour que la plupart des gens y adhèrent spontanément.

9.5.3 La consultation

Dans la consultation, même si l'agent détient plus de ressources valorisées que les destinataires, il n'en détient cependant pas assez pour imposer son point de vue. En fait, les destinataires détiennent déjà une quantité et une qualité de ressources valorisées suffisantes pour que l'agent se sente obligé de prêter un écho significatif à leurs positions sans quoi il s'exposerait à être tourmenté par de nombreuses et persistentes pressions de leur part. À la limite, comme il dispose de plus de pouvoir que les destinataires, il pourrait tenter d'imposer sa façon de voir. Toutefois comme ceux-ci détiennent un certain pouvoir, cette décision pourrait être ébranlée par des assauts importants.

9.5.4 La cogestion

Alors que dans les stratégies précédentes l'agent détenait plus de pouvoir que les destinataires, ici l'un et l'autre en détiennent autant. Ils sont donc en équilibre. Si l'agent peut s'appuyer sur les ressources valorisées dont il dispose pour faire valoir ses idées, les destinataires peuvent en faire autant et par conséquent peuvent bloquer systématiquement ses ambitions. Il doit donc transiger avec eux dans la perspective qu'il a absolument besoin de leur support ou de leur autorisation pour matérialiser ses objectifs, sans quoi il peut être réduit à l'impuissance. Ainsi, les deux parties détenant autant de ressources valorisées l'une que l'autre, elles doivent partager les décisions quant à l'opportunité du changement et ses objectifs, faute de quoi elles peuvent se neutraliser du moins aussi longtemps qu'il y aura égalité entre leurs pouvoirs respectifs.

9.5.5 Les pressions

À partir du moment où l'agent détient moins de pouvoir que les destinataires, il n'est plus en mesure de prendre des décisions qui puissent les contraindre, c'est-à-dire d'exercer une influence déterminante sur le changement. Cependant, s'il détient une quantité appréciable de ressources valorisées, sans toutefois en avoir assez pour rétablir la balance du pouvoir en sa faveur, il peut quand même exercer des pressions sur les destinataires avec l'espoir que celles-ci affecteront significativement leurs décisions quant à un changement éventuel. En fait, il détient alors suffisamment de pouvoir pour que les destinataires se sentent obligés de prêter un certain écho à ses demandes de changement et de proche en proche il peut espérer que ses pressions amèneront éventuellement les destinataires à opter pour ses propositions de changement. C'est habituellement ce genre de scénario qu'on rencontre dans le «lobbying» politique et administratif. C'est aussi le même genre de raisonnement que se font les divers groupes qui font des pressions auprès des différents niveaux de gouvernement pour obtenir des changements dans le fonctionnement de la société.

9.5.6 Les suggestions

Cette stratégie, se présente de la même manière que les pressions, avec cependant moins de poids. En effet, l'agent dispose de beaucoup moins de ressources valorisées que les destinataires et ceux-ci se sentent peu contraints à lui porter attention. Il en détient quand même assez pour qu'ils ne puissent pas le négliger complètement et à ce compte on peut dire qu'il peut au moins suggérer des propositions de changement. Cependant son pouvoir n'est pas assez élevé pour qu'il puisse exercer des pressions qui seraient déterminantes; ses ressources ne sont pas suffisamment valorisées pour y arriver.

9.5.7 L'aide au niveau du processus

Ici, l'agent n'a plus aucun pouvoir par rapport aux destinataires, ce qui signifie qu'il ne détient pas de ressources qu'ils valorisent. Par conséquent, il est contraint à ne pas pouvoir agir auprès d'eux; c'est le laisser-faire ou l'abstention. Toutefois, si l'agent veut néanmoins s'impliquer au niveau du changement, il peut le faire en fournissant aux destinataires un support au niveau du processus, dans la mesure évidemment où ceux-ci seront engagés dans une démarche de changement. S'ils sont engagés dans une telle démarche, le support qu'il pourra apporter au niveau du processus prendra entre autre la forme d'une aide pour prendre des décisions éclairées, en utilisant notamment des outils empruntés à l'animation de groupe et des connaissances sur le changement.

Si ce type d'action ne lui permet pas d'avoir de prise sur le contenu et les orientations du changement, il lui permet tout au moins d'augmenter les chances que le changement soit bien implanté. On aura compris cependant qu'un agent pourrait éprouver de profonds malaises s'il devait utiliser cette approche avec des gens poursuivant des objectifs de changement divergents des siens! (Dans une telle éventualité, il serait probablement même plus tenté de saboter le processus que de le faciliter).

Ajoutons que cette stratégie peut devenir pour l'agent un levier pour hausser sa part de pouvoir auprès des destinataires. En effet, si les gens se mettent à apprécier le type de support qu'il apporte, cette ressource qu'il détient (la capacité de les aider au plan du processus) peut devenir de plus en plus valorisée et ainsi se traduire par un degré d'influence plus élevé, qui peut être alors utilisée au niveau des orientations du changement.

9.6 Le comportement de l'agent et des destinataires dans chacune des sept stratégies

À partir de ce qui précède, nous allons maintenant explorer ce qui caractérise le comportement de l'agent et celui des destinataires dans l'utilisation des sept stratégies (figure 9.3).

FIGURE 9.3

Comportement de l'agent et des destinataires dans chacune des sept stratégies

STRATÉGIE	AGENT DE CHANGEMENT	DESTINATAIRES
Imposition	Il décide à la fois des objectifs, des moyens et du scénario d'implantation. Il informe les gens des décisions qu'il a prises, en les justifiant le plus souvent.	Ils sont contraints de se plier à ces décisions, donc de se plier aux changements, à moins qu'ils ne puissent se dérober.

Persuasion	Il décide à la fois des objectifs, moyens et scénario d'implantation; par la suite il tente de convaincre les gens d'adhérer volontairement au projet. En cas d'échec, dépendant de son pouvoir réel et de ses dispositions, il pourra ou s'exposer à l'influence des gens ou recourir à l'imposition.	Ils se font présenter un projet avec une invitation, plus ou moins claire d'y adhérer. Au travers de cette invitation, les gens sentent relativement peu de place pour exercer de l'influence et se sentent contraints à un oui ou un non.
Consultation	Il se garde le pouvoir de décision final. Toutefois, il fournit aux destinataires l'occasion d'influencer cette décision en les invitant à formuler des suggestions, des avis, des réactions à un projet. Il ne s'engage cependant à se conformer à ces opinions.	Ils sont invités à exercer de l'influence sur une ou des décisions éventuelles. Ils n'ont cependant pas de contrôle sur cette influence car ils ne participent pas à la décision finale. Ils n'ont donc aucune assurance qu'on tiendra compte de leur avis.
Cogestion	Il partage intégralement son pouvoir, de sorte que les destinataires disposent d'autant de pouvoir que lui pour décider des objectifs et des moyens de changement. Cela suppose donc qu'il n'y aura décision que lorsque les deux partenaires se seront entendus.	Ils partagent avec l'agent le pouvoir de décider des objectifs et des moyens de changement. D'une certaine façon ils détiennent un droit de véto, car faute d'être d'accord avec l'agent, ils peuvent neutraliser le processus de changement éventuel.
Pressions	Il n'a pas la capacité formelle d'orienter le choix des objectifs et des moyens du changement. Il détient cependant assez d'influence informelle pour inviter fortement les destinataires à tendre vers l'orientation qu'il prévilégie.	Ils ont la capacité de décider des objectifs et moyens du changement mais ils reçoivent les suggestions de l'agent comme des pressions à se conformer, en partie du moins à son point de vue. Ils en concluent que leur pouvoir n'est pas absolu et ressentent un malaise à ne pas tenir compte des pressions de l'agent.
Suggestions	Disposant de peu de pouvoir sur les objectifs et les moyens du changement, il se contente de faire des suggestions en espérant qu'elles conditionneront les destinataires dans leurs décisions.	Ils disposent de beaucoup de latitude sur le choix des objectifs et des moyens de changement et par conséquent reçoivent les informations de l'agent comme étant des données parmi d'autres, qu'ils pourront considérer dans le processus de décision.
Support au niveau du processus	L'agent ne dispose d'à peu près aucun pouvoir sur les objectifs et les moyens du changement (volontairement ou involontairement). Toutefois il détient des ressources qu'il peut mettre au service des destinataires pour les aider à cheminer vers des décisions satisfaisantes pour eux. Il intervient donc au niveau du processus de prise de décision et non au niveau du contenu des décisions.	Ils disposent d'un pouvoir quasi absolu sur les objectifs et moyens du changement. Ils ont recours aux services de l'agent pour les aider à suivre une démarche éclairée, systématique pour décider des différents aspects du changemnet et pour l'implanter. Ils sont donc maîtres du contenu mais s'exposent à l'influence de l'agent au niveau des façons de traiter le contenu.

9.7 D'autres critères pour choisir une stratégie

Comme nous l'avons mentionné précédemment, le pouvoir que détient l'agent ne peut pas être le seul critère pour déterminer la ou les stratégies qu'il adoptera, car d'autres variables que le pouvoir agissent également sur la situation.

Parmi les critères qui pourraient inciter l'agent à choisir une stratégie différente de celle suggérée par les coordonnées du tableau, nous en retiendrons particulièrement trois: le confort de l'agent avec l'une ou l'autre des stratégies, le degré de convergence des objectifs de l'agent et des destinataires ainsi que les réactions anticipées des destinataires.

9.7.1 Le confort de l'agent avec l'une ou l'autre des stratégies

Il pourrait arriver que l'agent éprouve un malaise personnel à utiliser la stratégie suggérée dans le tableau par sa position. Ce malaise peut tenir au fait que ce type de stratégie est incompatible avec ses valeurs ou encore qu'il se sent malhabile à l'utiliser correctement. Quelqu'un qui par exemple adhérerait à des valeurs très égalitaires pourrait vivre de la dissonance à faire usage d'imposition. À l'inverse, quelqu'un véhiculant des valeurs autoritaires pourrait éprouver beaucoup de difficulté à s'engager dans un processus de co-gestion. De telles réactions pourront alors amener l'agent à opter pour un type de stratégie avec lequel il se sentira plus en harmonie ou encore à la limite, il pourra décider de ne pas intervenir s'il ne lui est pas possible de recourir à une stratégie avec laquelle il serait confortable.

Indépendamment du rapport de force avec les destinataires, on aura connu aussi des agents qui systématiquement font toujours appel au même type de stratégie. On peut présumer que ces gens sont particulièrement à l'aise avec une telle stratégie et qu'ils l'on intégrée à un état de réflexe. Cette prédisposition peut être nuisible à l'agent car il néglige alors les variables de l'environnement dans le choix de sa stratégie et il peut devenir très disfonctionnel. Ce serait le cas par exemple de quelqu'un qui systématiquement serait à l'aise avec la contestation et qui l'utiliserait même dans un contexte de collaboration ouverte et de bonne foi.

9.7.2 Le degré de convergence des objectifs de l'agent et des destinataires

On peut présumer que plus les objectifs de l'agent seront divergents de ceux des destinataires, plus l'agent sera réfractaire à partager son pouvoir et ainsi plus il cherchera à se rapprocher de l'imposition. À l'inverse, plus les objectifs de l'agent convergeront avec ceux des destinataires, plus il sera disposé à partager son pouvoir et par conséquent, plus il tendra vers les stratégies du bas du tableau.

En somme, l'utilisation que l'agent fera de son pouvoir dans le choix d'une stratégie, pourra être fortement conditionnée par le degré de convergence ou de divergence entre ses objectifs et ceux des destinataires. Dans certains cas où l'agent disposera de peu de ressources valorisées et que ses objectifs seront divergents de ceux des destinataires, il se verra limité à deux choix: abandonner ses ambitions de changement, du moins provisoirement, ou dans un premier temps acquérir davantage de ressources valorisées pour éventuellement disposer de plus de pouvoir à l'endroit des destinataires. À l'inverse, plus les objectifs de l'agent convergeront avec ceux du destinataire, moins il sentira le besoin de disposer de beaucoup de pouvoir (dans les approches consensuelles par exemple).

D'une certaine façon, on peut probablement formuler la proposition suivante: toutes choses étant égales par ailleurs, la quantité de pouvoir nécessaire pour affecter efficacement la conduite des destinataires sera inversement proportionnelle au degré de convergence de leurs objectifs.

9.7.3 Les réactions anticipées des destinataires

On pourrait facilement imaginer une situation où les coordonnées du tableau suggèrent une stratégie donnée à l'agent mais qu'il soit préférable que celui-ci opte pour une autre stratégie compte tenu des réactions qu'on pourrait anticiper chez les destinataires face à la stratégie suggérée. Prenons l'exemple du directeur général d'une organisation, donc détenant en théorie beaucoup de pouvoir formel, qui voudrait introduire un changement auprès d'un département dont le personnel en plus d'être fortement scolarisé, aurait aussi une grande estime de ses compétences. Bien que ce directeur général soit possiblement dans une position pour imposer le changement, il pourrait trouver plus opportun d'utiliser une stratégie plus conciliante, craignant des réactions explosives qui de toutes façons contamineraient les chances de succès du changement.

Ainsi, avant de s'engager dans une stratégie donnée, l'agent aura-t-il avantage à évaluer celle-ci à la lumière des réactions qu'il peut anticiper chez les destinataires, entre autres en s'interrogeant sur les contre-coups qu'il est prêt à absorber.

9.8 Le choix de la stratégie[1]

À partir des considérations qui précèdent, on peut poser que le pouvoir que détient l'agent sera déterminant dans le choix d'une stratégie d'action car c'est ce pouvoir qui fixera en grande partie les limites à sa marge de manoeuvre. Toutefois cette variable à elle seule peut ne pas être suffisante, pour choisir une stratégie appropriée. Elle devra la plupart du temps être mise en relation avec les trois autres variables pour permettre de faire un choix pertinent. C'est ce qu'illustre la figure 9.4.

9.9 L'élaboration d'une stratégie

Quand l'agent aura décidé de la coloration particulière de sa stratégie, il lui restera à l'opérationnaliser, c'est-à-dire à trouver des moyens, activités, tactiques qu'il utilisera dans l'action. Il va de soi que dans cette opération il devra s'efforcer de choisir des moyens qui reflèteront l'esprit de sa stratégie.

Pour y arriver, il pourra procéder en deux temps: dans un premier temps, il pourra faire un inventaire exhaustif de tous les moyens, activités, tactiques qui seraient imaginables; dans un deuxième temps il lui faudra procéder à une sélection en ne retenant que ceux qui ont des chances d'être efficaces et qui respectent la stratégie retenue.

---

[1] Il faut observer ici que si on parle «d'une» stratégie, c'est de façon quelque peu réductionniste car souvent il faudra faire appel à plusieurs stratégies en même temps ou en séquence.

FIGURE 9.4

Schéma-synthèse sur le choix d'une stratégie

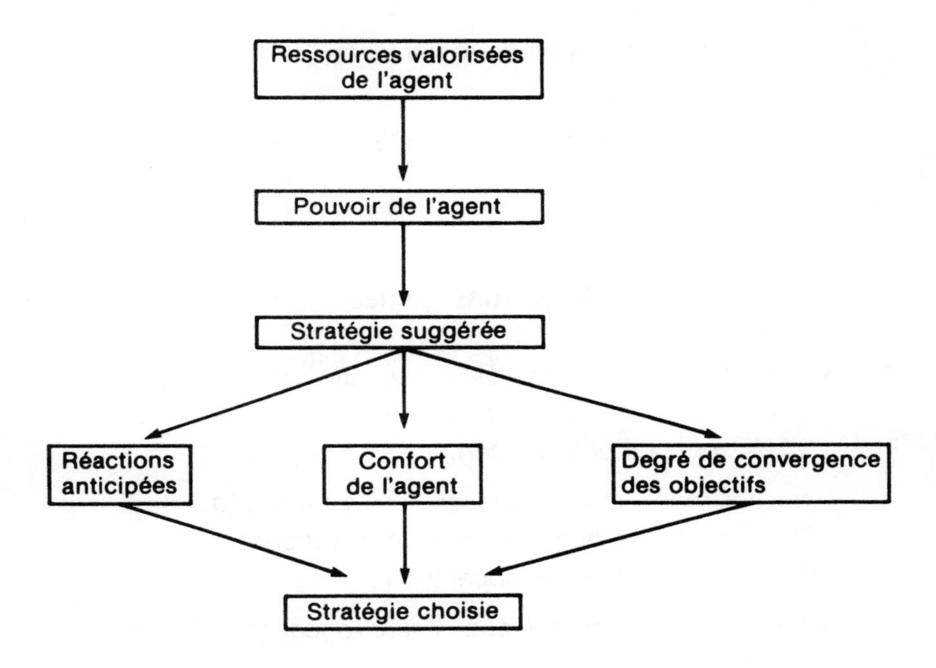

Il serait évidemment trop long de relever ici toute la gamme des moyens qui peuvent être imaginés pour alimenter une stratégie, certains d'ailleurs relevant de la pure création. Qu'il suffise d'en mentionner quelques-uns parmi les plus fréquemment utilisés:

- les programmes de formation
- la reformulation des politiques
- la diffusion d'information
- la transformation d'une structure
- la manifestation
- le harcèlement
- les comités de réflexion

- les documents de travail
- les rencontres de consultation
- les mécanismes de concertation
- l'adoptation de lois ou de règlements
- les projets-pilotes
- les séances de solution de problème en groupe

Questions guides

1. *Quelles ressources le système visé valorise-t-il?*
   - *Quels sont les caractéristiques de sa culture?*
   - *Quels sont ses besoins particuliers?*
2. *Parmi ces ressources valorisées, y en a-t-il que l'agent détient?*
   - *Si oui, en quelle quantité? (peu à beaucoup)*
   - *Si non, peut-il en développer?*
3. *Les ressources valorisées que détient l'agent sont-elles perçues par les destinataires?*
4. *Où l'agent se situe-t-il sur l'axe diagonal du tableau de la figure 9.2, considérant le pouvoir qu'il détient face aux destinataires?*
5. *Dans quelle mesure l'agent se sent-il confortable avec le type de stratégie que lui suggère sa position dans le tableau?*
   - *En cas d'inconfort, quelle en est la source?*
6. *Dans quelle mesure les objectifs de l'agent convergent-ils ou divergent-ils de ceux des destinataires?*
   - *Par conséquent, l'agent doit-il songer à s'associer aux destinataires ou doit-il songer à les contraindre?*
7. *À partir de la stratégie suggérée dans le tableau de la figure 9.2, quelle réaction peut-on anticiper chez les destinataires?*
   - *Compte tenu de cette réaction anticipée, y a-t-il lieu d'envisager une autre stratégie? Laquelles?*

8. *À la lumière de l'analyse qui résulte des questions 4-5-6-7, quelle stratégie semble s'avérer la plus satisfaisante dans les circonstances?*

9. *Quels moyens pourraient être utilisés pour matérialiser cette stratégie?*

CHAPITRE X

LES ACTEURS DANS UNE STRATÉGIE DE CHANGEMENT

Les acteurs dans une intervention de changement

L'intervention de changement se présente souvent comme un scénario où à l'avance on cherchera à confier des rôles aux différentes personnes qui seront impliquées dans le processus du changement. Plus l'intervention sera complexe, plus la notion de rôle prendra de l'importance car elle permettra de mieux appréhender l'environnement qu'on veut faire changer.

Dans ce chapitre, nous examinerons d'abord les différents rôles qui peuvent être tenus dans une stratégie de changement, pour ensuite présenter diverses approches utilisables dans l'exercice de ces rôles et enfin explorer certaines particularité inhérentes à la position de l'agent de changement, à savoir qu'il agit comme agent interne ou externe par rapport au système visé.

En s'inspirant de la taxonomie des entreprises de changement planifié de Roger Tessier[1], on peut diviser les rôles en deux grands sous-groupes: les agents et les destinataires. Sans reprendre la totalité du chapitre de Tessier sur le sujet, nous allons en présenter les principales composantes.

10.1 Les agents du changement et les destinataires

Nous définirons les agents du changement comme étant ceux qui «agissent»délibérément sur l'environnement pour faciliter, permettre l'implantation du changement projeté. Ainsi, toute personne ou système qui contribue par action directe ou indirecte à l'implantation du changement constitue un agent de changement.

---

[1] Tessier, R., Tellier, Y., *Changement planifié et développement des organisations*. Montréal, Les Éditions de l'I.F.G., 1973, p. 20-32.

Quant aux destinataires, nous les définirons comme étant les personnes ou systèmes visés directement ou indirectement par les différentes interventions des agents, à un moment ou l'autre du processus de changement.

Les agents pourront détenir, formellement ou informellement, l'un ou l'autre des trois statuts qui suivent:

- responsable
- exécutant
- conseiller.

Les agents pourront aussi être identifiés à l'un ou à l'autre des rôles qui suivent:

- les initiateurs
- les concepteurs-planificateurs
- les exécutants
- les évaluateurs.

On peut différencier les différents types de destinataires qui suivent:

- les destinataires relais
    - les relais formels
        - les collaborateurs
        - les commanditaires
    - les relais informels
        - les diffuseurs
        - les témoins
- les destinataires terminaux.

Les différents rôles impliqués dans une stratégie de changement ne sont pas mutuellement exclusifs. Une même personne peut exercer plus d'un rôle à l'intérieur d'une intervention donnée. Par exemple, on peut imaginer qu'une équipe d'enseignants veuille changer le climat qui règne dans l'équipe et qu'à cet égard elle entreprenne une action particulière; ainsi, l'équipe aura agi à la fois comme initiateur, exécutant et destinataire terminal.

En somme la notion d'acteur permet de mieux préparer et visualiser l'orchestration d'une stratégie de changement.

Ajoutons que le choix des acteurs résultera habituellement d'un choix stratégique. Pour que les différents rôles retenus à l'intérieur de la stratégie produisent l'effet escompté, il faut que les personnes ou systèmes auxquels ils sont confiés soient choisis en fonction de l'impact réel qu'il produisent, d'où le caractère stratégique.

10.2 Les agents de changement

10.2.1 Les statuts accordés aux agents de changement

A- LES RESPONSABLES

Ce sont ceux à qui on a confié ou qui ont décidé (lorsqu'ils le peuvent) d'assumer la responsabilité de l'entreprise de changement. Ceux-ci ne détiennent pas nécessairement un statut d'autorité dans l'organisation mais ont au moins reçu une délégation d'autorité, formelle ou non, en regard du projet de changement. En somme, ce sont eux qui auront à gérer le processus décisionnel à l'intérieur de l'intervention de changement et à répondre des résultats.

Exemple: dans un ministère, un groupe de travail provisoire est formé avec le mandat de préparer et d'implanter un changement dans l'approche du ministère avec sa clientèle.

B- LES EXÉCUTANTS

Auront le statut d'exécutants ceux à qui on aura confié une ou des tâches spécifiques à accomplir à l'intérieur de l'un ou l'autre des stades de l'intervention. Ils sont en somme presque dénués d'influence sur les orientations du changement et ce sont souvent des gens qu'on aura retenus pour leur habilité à utiliser une technique particulière ou à oeuvrer sur une problématique spécifique.

Exemple: on confie à un groupe spécialisé en formation la tâche de dispenser une session de formation en gestion du temps.

C- LES CONSEILLERS

«Les conseillers ne sont pas comme tel mêlés à l'action réelle et à ses aléas; ils ont plutôt pour tâche d'aider les responsables et les exécutants à anticiper cette action le plus correctement possible, à l'élaborer en référence à certaines connaissances scientifiques, et à l'évaluer en cours de route ou à son terme par rapport à des critères dont la validité et la rigueur dépassent, du moins en théorie, ceux qui s'inspirent du pur sens commun. Ce qui caractérise aussi le statut de conseiller à l'intérieur de l'entreprise de changement, c'est le fait que celui qui le détient ne peut avoir recours au niveau des mécanismes de prise de décision, qu'à des modes informels d'influence. Il ne participe pas à la responsabilité du projet et conséquemment on ne lui reconnaît pas le droit de prendre formellement des décisions[1].»

10.2.2 Les rôles exercés par les agents du changement

A- LES INITIATEURS

On appelera initiateurs ceux qui exprimeront explicitement la nécessité que des actions soient entreprises pour introduire un changement et qui tenteront d'éveiller l'environnement à la pertinence d'un tel changement.

Exemple: un groupe féministe qui insiste auprès d'un gouvernement pour qu'il adopte une loi empêchant la discrimination envers les femmes au niveau de l'embauche dans la fonction publique.

B- LES CONCEPTEURS ET PLANIFICATEURS

Ce sont les gens qui travaillent à concevoir et articuler les différentes composantes de l'entreprise de changement dans un plan d'action.

Exemple: un comité du Ministère du travail formé pour élaborer un plan d'action visant à rendre le marché du travail plus accessible aux femmes.

---

[1] Tessier, R., Tellier, Y., *op. cit.*, p. 24.

C- LES EXÉCUTANTS

Ce sont évidemment les personnes qui au plan pratique devront mettre en oeuvre les détails du plan d'action élaboré au préalable. En somme ce sont ceux qui «agiront» sur l'environnement pour l'amener à changer.

Exemple: les directeur régionaux de différents services gouvernementaux à qui on aura demandé de promouvoir certains moyens auprès d'employeurs pour rendre le marché du travail plus accessible aux femmes.

D- LES ÉVALUATEURS

Ce sont ceux qui auront reçu le mandat ou qui prendront l'initiative d'évaluer dans quelle mesure le changement a été implanté, s'il a atteint ses objectifs, si la situation a été améliorée.

Exemple: un comité de gestion fait passer un sondage auprès du personnel pour évaluer si le climat de travail s'est amélioré.

10.3 Les destinataires du changement

10.3.1 Les destinataires terminaux

Les destinataires terminaux sont les acteurs que l'on veut affecter au terme de différentes actions de l'entreprise de changement. Ce sont donc les acteurs qui sont principalement et ultimement visés par l'entreprise de changement. On les situe comme destinataires terminaux car il est très possible que pour avoir eu une influence déterminante sur eux, on ait eu besoin d'intervenir au préalable ou simultanément sur des acteurs intermédiaires. Il est évident que dans un contexte où on peut agir directement auprès des acteurs qu'on veut faire changer, il est inutile de recourir aux catégories de «terminal» et «relais». Toutefois, dans les projets d'une certaine complexité, ces catégories pourront aider à orchestrer la séquence des actions sans perdre de vue l'objet du changement[1].

---

[1] Roger Tessier dans son chapitre distingue deux catégories de destinataires terminaux: les consommateurs et utilisateurs du savoir, et les éduqués.

Exemple: dans un service gouvernemental où on éveillerait des superviseurs à la nécessité d'un bon service à la clientèle en vue qu'à leur tour ils agissent sur leurs agents pour offrir un service plus courtois au client, ces agents constitueraient les destinataires terminaux.

10.3.2 Les destinataires-relais

Ce sont des acteurs à qui l'agent de changement s'adressera en sollicitant ou en espérant qu'ils agissent à titre d'intermédiaires directement ou indirectement auprès des destinataires terminaux de façon à influencer ces derniers en faveur du changement désiré. Il faut noter que les relais peuvent être mis à contribution aux différentes phases de l'intervention, tout comme les terminaux d'ailleurs.

Étant donné que les système sociaux sont souvent caractérisés par un tissu complexe de relations et d'interdépendance, il sera habituellement utile sinon indispensable de recourir à des destinataires-relais, surtout à la lumière de ce qui a déjà été dit à propos du modèle systémique et du changement d'attitudes.

A- LES RELAIS FORMELS

Les relais formels sont des acteurs qui ont été explicitement identifiés par les agents du changement et sur lesquels on a délibérément agi pour obtenir qu'à leur tour, ils agissent de manière à faciliter l'implantation du changement auprès des destinataires terminaux.

a) Les agents collaborateurs

Ce sont des relais formels à qui on aura demandé de s'associer à l'entreprise de changement pour intervenir auprès d'autres personnes ou groupes qui leur sont accessibles de façon à promouvoir le changement projeté. Souvent on aura préparé ces acteurs en conséquence (formation, présentation, documentation, etc.). Ainsi, lorsque l'on a obtenu la contribution des agents collaborateurs, ceux-ci deviennent à leur tour des agents de changement.

Exemple: dans l'intervention où on veut modifier l'attitude des agents à l'endroit de la clientèle, les superviseurs constituent les agents collaborateurs.

b) **Les commanditaires**

Ce sont des relais-formels à qui l'agent s'adressera en vue d'obtenir leur appui moral ou matériel de façon à pouvoir mettre en valeur cet appui dans la promotion du changement. Les types d'appuis recherchés peuvent varier selon les circonstances et les personnes ou systèmes en cause: obtenir une autorisation, bénéficier d'un surcroit de prestige, profiter d'une caution morale, obtenir une délégation d'autorité, bénéficier d'une aide financière et/ou matérielle, etc. En somme on demande au commanditaire de se porter garant de l'initiative ou d'y associer son nom et/ou son image et/ou ses ressources, en espérant que cette commandite fournisse de la crédibilité et/ou des moyens à l'entreprise de changement et ainsi en augmente les chances de succès. Quand dans une intervention de changement, on tente d'associer les leaders naturels aux objectifs de changement, on tente alors d'en faire des commanditaires.

B- LES RELAIS INFORMELS

Ce sont des relais qui n'ont pas été explicitement choisis ou identifiés pour exercer un rôle dans la stratégie de changement, mais qui ont pris l'initiative personnelle d'exercer un rôle plus actif que celui d'observateur ou de récepteur. Bien que les agents aient pu soupçonner que de telles initiatives puissent se produire, elles ne faisaient pas partie des plans comme tels.

a) **Les diffuseurs**

On appellera diffuseur celui qui de son propre chef véhiculera auprès d'autres destinataires pas ou peu anticipés, l'information qu'il aura reçue en regard de l'objet de changement.

Exemple: quelqu'un qui aura été informé du succès d'une expérience d'horaire flexible dans une organisation donnée, pourra se faire le promoteur d'un tel changement dans sa propre organisation.

b) **Les témoins**

Ce sont des personnes ou des groupes qui de par leurs attitudes, valeurs, conduites ou verbalisation témoignent, reflètent le type de changement qu'on cherche à introduire. Contrairement, au diffuseur, le témoin ne diffuse pas activement un message. Toutefois, de sa façon d'être ou d'agir transpire un message et dans la mesure où celui-ci est perçu par l'environnement, il peut générer la remise en question comme l'hostilité.

Exemple: un responsable de service apporte une attention toute particulière à la gestion de son personnel, ce qui provoque différentes réactions chez ses collègues: certains l'imitent, d'autres le ridiculisent.

10.4 Les types d'agents de changement

Pour exercer son rôle d'agent de changement, l'intervenant peut opter entre différents modèles. Ces modèles peuvent être définis notamment en fonction du degré d'influence que l'agent veut se donner et veut laisser aux destinataires quant à l'issue du changement et aux moyens de le mettre en oeuvre. Sur cette base, les approches sont souvent polarisées entre deux tendances qu'on pourrait appeler celle de l'animateur et celle du militant.

Un long débat oppose ceux qui privilégient le modèle de l'animateur et ceux qui privilégient le modèle du militant. Les premiers prétendent «faciliter» l'implantation du changement, notamment en aidant à explorer le processus humain vécu dans l'expérience du changement et en permettant une participation maximale des destinataires à tous les niveaux de l'intervention de changement. Par ailleurs, on leur reproche de ne pouvoir fonctionner que dans des contextes où des consensus sont possibles, alors que la réalité est souvent bien autre.

Les seconds pour leur part prétendent être les porteurs d'idées et d'initiatives qui autrement ne pourraient être véhiculées. Ils tenteront de solliciter les gens à adhérer à leurs idées et de les encourager à se joindre à leur action. Par ailleurs, on leur reproche de faire la promotion d'idées en négligeant l'appropriation qu'en font les gens.

10.4.1 Le modèle de l'animateur

Au sens strict, on peut définir le modèle de l'animateur comme étant celui qui facilite l'émergence d'un processus ouvert où les différentes parties (agents et destinataires) s'expriment et en arrivent à une décision consensuelle, sinon largement majoritaire, sur l'opportunité, les objectifs et les moyens de changement. L'animateur aide les différentes parties à cheminer vers une décision éclairée et partagée. Ainsi l'animateur met ses ressources personnelles de facilitateur au service des gens directement concernés par le changement pour qu'eux-mêmes identifient le besoin de changement, planifient le changement, le mettent en oeuvre et l'évaluent. Il s'abstient donc d'exercer de l'influence sur le contenu du changement et laisse toute l'influence aux acteurs directement concernés. Sa part d'influence portera davantage sur les moyens et approches à prendre pour permettre aux gens d'explorer de façon ouverte et éclairée l'objet du changement[1].

De par la nature de l'approche de l'animateur, on soupçonne qu'en règle générale il n'aura pas été l'initiateur du changement de sorte que d'autres auront déjà posé un certain nombre de gestes pour promouvoir le changement. En effet, rares sont les situations où on ne trouvera pas une personne ou un sous-groupe qui ait une influence plus déterminante sur le changement. En fait, qu'il s'agisse de quelqu'un de l'intérieur ou de l'extérieur du système, l'animateur est le plus souvent un acteur à qui on a demandé de l'aide, ce qui illustre bien qu'il n'agit pas comme initiateur.

Étant donné ces caractéristiques, l'agent qui privilégie le modèle de l'animateur pourra le faire dans les contextes où les gens veulent et peuvent procéder de façon consensuelle[2]. Dans des contextes où de telles conditions ne peuvent être réunies, ce modèle risque d'être inefficace, voire même nuisible à ceux qui militent en faveur d'un changement car il pourrait mettre à jour des résistances qu'on aurait pu préférer laisser dormir.

Dans la pratique, on aura parfois vu des militants s'afficher stratégiquement du modèle de l'animateur, car celui-ci étant peu menaçant, il permet de masquer et de promouvoir des intentions et objectifs personnels de changement, à l'insu des gens.

---

[1] La pratique intégrale du développement organisationnel illustre très bien ce modèle.

[2] À ce sujet, cf. le chapitre VIII sur les stratégies consensuelles.

10.4.2 Le modèle militant

Le dictionnaire Larousse définit le militant comme étant celui « qui lutte, qui combat pour le triomphe d'une idée, d'un parti ». Ainsi le modèle du militant se caractérise par une identification explicite de l'agent avec les objectifs et les moyens de changement et par des actions de l'agent pour amener l'acceptation du changement par les destinataires et son implantation. Le militant choisit d'exercer son influence auprès des destinataires pour en arriver à implanter le changement tel qu'il l'a conçu. Dans une telle approche, la part d'influence laissée aux destinataires est minime, du moins au niveau de l'opportunité et des objectifs de changement. En fait, son dessein est d'amener les destinataires à partager, sinon à tolérer sa vision de « qui est souhaitable ». Ainsi on est en droit de dire que si l'animateur s'intéresse surtout aux processus vécus dans le changement, le militant lui, s'intéresse surtout au contenu du changement.

Parmi les conditions pour que ce modèle d'agent puisse être efficace, mentionnons la nécessisté que l'agent puisse de fait détenir un niveau de crédibilité élevé, sans quoi il ne réussira que difficilement à faire la promotion de ses idées.

10.4.3 Entre le militant et l'animateur

Jusqu'ici, nous avons défini les modèles du militant et de l'animateur comme des modèles absolus et mutuellement exclusifs. Toutefois, la réalité oblige souvent à opter pour des modèles intermédiaires qui empruntent à l'un et à l'autre, la tendance dominante se situant alors soit d'un côté, soit de l'autre. En effet, si en règle générale le choix d'un modèle donné résulte des valeurs et de l'idéologie de l'agent, ce choix peut aussi être conditionné par les caractéristiques de la situation et les moments de l'intervention, de sorte que l'agent doit souvent assouplir ses choix spontanés.

En fait, l'un et l'autre modèle se situent aux deux extrèmes d'un continuum d'influence où d'une part toute l'influence sur l'orientation du changement est aux mains des destinataires et d'autre part toute l'influence sur l'orientation du changement est aux mains de l'agent (figure 10.1). Toutefois, entre ces deux extrèmes on peut trouver toute une gamme de combinaisons possibles, qu'on peut illustrer à l'aide du tableau qui suit:

FIGURE 10.1

Continuum du militant à l'animateur

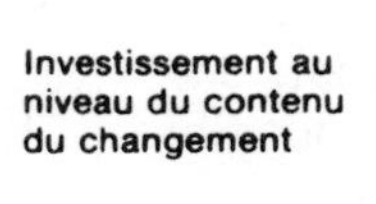

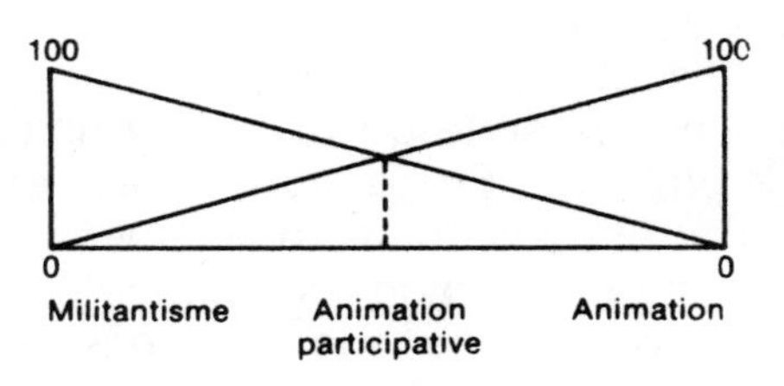

Rappelons que si dans la réalité on retrouve rarement l'un ou l'autre de ces modèles à l'état pur, ceux-ci témoignent néanmoins de deux tendances réelles et fort différentes, qui finalement correspondent à des choix stratégiques différents.

10.5 La position de l'agent de changement

Nous avons vu que l'agent de changement peut exercer plusieurs rôles à l'intérieur d'une entreprise de changement planifié. Nous avons vu également que l'agent de changement peut emprunter différents modèles en regard de l'influence qu'il se donne et qu'il donne aux différents acteurs dans la stratégie du changement. Nous verrons maintenant que l'agent de changement, que ce soit à titre d'initiateur, de concepteur, d'exécutant ou d'évaluateur, peut se situer soit à l'intérieur, soit à l'extérieur du système sur lequel il agit. Dans le premier cas, on parlera d'agent interne, dans le second cas on parlera d'agent externe. Précisons que dans la littérature et la pratique du changement planifié, l'agent externe prend habituellement la forme d'une expert[1] que les initiateurs sollicitent pour venir aider le système à mieux diagnostiquer et/ou planifier et/ou exécuter et/ou évaluer son entreprise de changement. L'agent interne pour sa part est quelqu'un qui fait partie intégrante du système et dont c'est en tout ou en partie le mandat (parfois caché) d'amener le système à changer.

[1] Le plus souvent appelé conseiller, consultant ou personne-ressource.

L'une ou l'autre position comportent des avantages et des inconvénients que nous allons présenter brièvement.

De par sa position, l'agent interne a souvent plus de temps à consacrer à l'intervention que l'agent externe. Comme il vit avec et dans le système, l'agent interne peut être partie prenante aux problèmes du système, de sorte qu'il risque à son insu d'agir de façon à entretenir le problème. En d'autres termes il est possible qu'il ne soit pas de son intérêt que certains problèmes disparaissent ou que certaines situations soient modifiées de sorte qu'inconsciemment il pourrait contribuer à ce que certaines expériences de changement n'atteignent pas leur but. Il risque de se trouver parfois dans la position où en faisant changer le système, il s'oblige en même temps à changer.

L'agent externe pour sa part n'a habituellement que peu d'enjeux à préserver dans une situation problématique, sinon sa réputation, encore que celle-ci soit appuyée sur sa capacité effective à aider à l'implantation du changement.

Comme il n'est pas impliqué dans la structure hiérarchique du système et qu'il n'y est pas soumis, l'agent externe peut plus facilement avoir accès au sommet de la hiérarchie du pouvoir dans le système. Toutefois, son intégrité professionnelle et intellectuelle ne pourra être sauvegardée qu'à la condition qu'il se trouve dans un état d'indépendance financière et sociale relative, sans quoi il peut devenir totalement dépendant de ceux qui agiront comme pourvoyeurs et ainsi perdre la perspective qui lui est nécessaire.

Habituellement, l'agent interne dispose de plus d'information sur la problématique que l'agent externe et il a d'ailleurs plus facilement accès à la structure informelle du système. Cet avantage est toutefois limité par ses distorsions perceptuelles alimentées par ses alliances, ses intérêts propres, ses expériences antérieures dans le système. S'il est limité au niveau de la quantité d'information et de ses sources, l'agent externe est mieux placé pour développer une vision plus objective de la problématique. Il risque quand même de véhiculer certaines distorsions perceptuelles. Par exemple on aura vu des agents externes définir les situations problématiques non pas dans les termes dans lesquels elles se posaient, mais en fonction de leur domaine d'expertise ou en fonction du genre de problème qu'ils sont capables de travailler.

Assez souvent, l'agent externe aura une formation plus spécialisée (c'est la raison pour laquelle on le sollicite) d'où il tirera un prestige significatif. Comme on l'utilise habituellement pour de courtes durées et sur des objets pour lesquels il est spécialisé, il pourra plus facilement camoufler ses faiblesses et ainsi maintenir son prestige. L'agent interne pour sa part doit vivre avec les forces et les faiblesses de son image qu'une expérience plus longue aura souvent éprouvée et possiblement figée, d'où un prestige moins évident et une influence en conséquence.

Étant moins en contact avec le «poul» réel du système, l'agent externe risque d'être moins soucieux des limites d'absorbtion du système et de son degré de vulnérabilité alors que l'agent interne a des chances d'être plus attentif aux effets secondaires et aux seuils de tolérance du système parce qu'il y vit et continuera d'y vivre. Dans le même esprit, il faut noter que généralement l'agent externe étant utilisé pour une courte durée, il n'aura pas à vivre avec les conséquences de l'intervention contrairement à l'agent interne qui lui aura à le faire, de sorte que ce dernier risque d'être moins audacieux.

De ces différentes considérations, il est évident qu'on ne saurait affirmer qu'une position est préférable à l'autre. Chacune comporte des forces et des faiblesses. L'important consiste probablement à mettre à profit les forces de chacune et à être attentif à ses faiblesses. L'idéal consiste probablement à jumeler l'agent interne et l'agent externe, lorsque c'est possible.

Questions guides

1. *Quel est notre statut à titre d'agent de changement? responsable? exécutant? conseiller?*

2. *Quelles personnes exercent les différents rôles: initiateurs? concepteurs-planificateurs? exécutants? évaluateurs?*

3. *Les agents de changement sont-ils des agents internes? externes?*

4. *À quelle tendance s'identifient davantage les agents: à l'animateur? au militant?*
5. *Qui sont les destinataires terminaux?*
6. *Doit-il y avoir des destinataires-relais? Si oui, lesquels?*

CONCLUSION

Conclusion

Dans les pages qui précèdent, nous avons voulu présenter différents éléments pour mieux comprendre la problématique du changement dans les systèmes organisationnels ainsi qu'une démarche systématique pour planifier des interventions de changement.

Nous nous sommes particulièrement attardés à une série de concepts et d'activités qui s'inscrivent dans la démarche de diagnostic et de planification d'un changement intentionnel.

À la lumière de ce qui a été dit jusqu'à maintenant, nous aimerions dégager six conditions qui, si elles sont présentes, maximiseront les chances de succès d'une entreprise de changement planifié :

1. Les destinataires perçoivent le problème comme assez prioritaire et insatisfaisant pour être motivés pour une action.
2. Il y a suffisamment d'énergie disponible chez les destinataires et les agents pour entreprendre et mener une action à terme.
3. L'agent de changement a, ou peut avoir, le pouvoir et/ou les moyens de réaliser le changement et les destinataires le perçoivent.
4. Les avantages du changement sont perçus et valorisés par les destinataires.
5. Les avantages du changement sont perçus par les destinataires comme étant supérieurs aux avantages perdus et aux désavantages liés au changement.
6. L'agent est capable de procurer aux destinataires la sécurité dont ils ont besoin pour traverser la période du changement.

Plus ces conditions seront réunies dans l'environnement qu'on veut changer plus il devrait être facile d'y implanter un changement. Si elle devaient être absentes, en tout ou en partie, l'agent de changement aura sûrement avantage à faire en sorte qu'elles émergent, sinon sa tâche risque d'être particulièrement ardue et les résultats obtenus pourront être maigres, sinon fragiles.

Nous avons déjà dit à quelques reprises qu'il ne suffit pas de lancer une idée de changement pour que celle-ci se transforme par magie en réalité. Il faut en assurer l'implantation, c'est-à-dire suivre le changement jusqu'à la phase de recristallisation. Beaucoup d'initiatives de changement se sont malheureusement envolées en fumée parce qu'on ne s'est pas suffisamment soucié d'en assurer le suivi lors de l'implantation avec la conséquence que la situation a souvent par la suite régressé à un stade antérieur. En caricaturant, on pourrait dire qu'on ne lui a pas donné l'occasion de s'enraciner dans le système.

Durant l'implantation, si le changement n'est pas accepté d'emblée par le système, il sera d'autant plus important d'assurer un suivi attentif. Les différentes activités visant à assurer un suivi constant et systématique du changement correspondent à ce qu'on peut appeler «la gestion du changement». Cette gestion du changement pourra se faire notamment par des activités de contrôle et d'évaluation.

Les activités de contrôle vont se traduire par des vérifications pour savoir si ce qui devait être fait a été fait (si la planification est respectée) de façon à procéder si nécessaire à des ajustements de rythme ou de méthodologie pour faciliter le changement. Ainsi on pourra corriger des erreurs de trajectoire pendant l'implantation au lieu de les regretter et de les déplorer après coup.

Les activités d'évaluation se traduiront par des actions qui permettent de savoir dans quelle mesure les objectifs sont en voie d'être atteints, s'il s'agit d'évaluation continue, ou si les objectifs ont été atteints, s'il s'agit d'une évaluation finale. Ici on peut imaginer toutes sortes de méthodologies d'évaluation, des plus subjectives jusqu'aux plus rigoureuses. L'important reste d'avoir des outils permettant de mesurer l'impact réel des interventions en rapport avec l'impact recherché. Ici encore, l'évaluation permettra de procéder si nécessaire à des ajustements en cours d'implantation, ces ajustements pouvant se situer au niveau du diagnostic, des objectifs, des moyens, des stratégies, de la durée, etc. En fait, l'évaluation qu'elle soit continue ou finale, constituera une façon de refaire régulièrement le diagnostic et ainsi d'être continuellement sensible aux modifications qui se produisent dans le système, ce qui permettra d'adapter les interventions au contexte ambiant.

Ce que nous venons de dire au sujet du contrôle et de l'évaluation suggère que le plan d'action qui a été défini n'est pas établi de façon rigide et immuable mais qu'au besoin il doit être modifié pour mieux s'adapter aux différentes circonstances, d'autant plus qu'il n'y a rien qui garantisse que l'on n'a pas oublié certains aspects au moment de la planification ou que la situation n'évoluera pas dans une direction qui n'avait pas été prévue. Il faut d'ailleurs se rappeler que nous avons déjà présenté le plan d'action comme étant une hypothèse de travail qui demande à être validée dans l'action plutôt que comme un corridor étroit et fermé qui ignore l'environnement ambiant.

Une attitude vigilante durant l'implantation sera aussi importante pour pouvoir traiter au fur et à mesure les effets systémiques qui se manifesteront. Nous avons déjà parlé précédemment du processus d'intégration intra et inter-systémique qui fait qu'entre autres, l'environnement sera appelé à s'adapter aux changements en cours. Or cette adaptation ne se fera pas toute seule et il est possible qu'en cours d'implantation on ait à exécuter des interventions pour faciliter l'intégration sans quoi le changement risque de subir un phénomène de rejet. Le plus souvent on n'aura que partiellement prévu ces effets systémiques et en cours d'implantation il faudra être assez perspicace pour les déceler et les traiter avant qu'ils ne mettent en cause le succès du changement. Il pourra alors en résulter des actions sur l'environnement pour le rendre plus compatible avec le changement envisagé ou encore des modifications aux objectifs de changement initiaux.

On pourrait appeler «activités de régulation» ces activités qui consisteront à s'assurer que les obstacles à l'implantation du changement sont identifiés et traités au fur et à mesure qu'ils se manifestent.

Ajoutons trois phénomènes qui renforcent la nécessité d'un suivi attentif durant l'implantation du changement. Premièrement, le changement est habituellement accompagné d'une période de transition. Il est rare que l'on fasse table rase de ce qui existait pour le remplacer abruptement par autre chose. Le plus souvent, un changement est implanté graduellement et au fur et à mesure qu'il s'impose dans le système, les anciennes conduites disparaissent. Il en résulte que finalement ce sont deux modèles, l'ancien et le nouveau, qui cohabitent durant cette période de transition, chacun consommant sa part d'énergie, ne serait-elle que minimale pour l'ancien modèle. Faute de s'assurer que cette transition s'opère de façon satisfaisante et continue, la tentation pourra souvent être forte d'abandonner un des modèles et pourquoi pas le nouveau puisque c'est celui que l'on connait le moins et qu'il n'est peut-être pas encore bien rodé.

Deuxièmement, comme le changement est généralement générateur d'un accroissement de stress, de fatigue, d'insécurité, ces phénomènes pourront avoir raison de l'initiative de changement si on n'y porte pas une attention continue, pour d'une part les percevoir lorsqu'ils apparaîtront et d'autre part pour prendre des moyens de les éliminer, les diminuer ou tout au moins éviter qu'ils ne produisent des effets négatifs sur l'implantation du changement.

Troisièmement, durant une période de changement, on observe souvent des mouvements de haut et de bas dans le climat et l'humeur, résultant en des moments d'enthousiasme et de désillusion. Ces mouvements pourront créer un climat d'instabilité qui suscitera confusion, apathie, amertume. Il sera avantageux de surveiller ces mouvements afin, au besoin, de canaliser et entretenir le niveau d'énergie chez les gens et ainsi éviter les dangers d'essoufflement et de découragement.

De façon à pouvoir mieux suivre l'évolution de son intervention, l'agent de changement pourra se doter de différents tableaux-synthèses (figure 11.1 et 11.2). De tels outils lui permettront d'une part d'avoir une vision globale de l'intervention et d'autre part de mieux suivre l'évolution des événements.

Tout au long des dix chapitres précédents, nous nous sommes souvent adressés à des considérations d'ordre méthodologique. Pour clore cette conclusion, nous aimerions souligner qu'au-delà de la méthodologie présentée, c'est surtout l'esprit qui la gouverne qui importe. On peut résumer cet esprit sous les six énoncés qui suivent :

1. Les différentes composantes d'une intervention sont interreliées et s'influencent entre elles tout au long de la démarche, de la même façon que les différents éléments de l'environnement sont en relation systémique.
2. L'agent aura avantage à clarifier les choix qu'il pose dans ses interventions, de façon à être lucide quant à ses intentions réelles et aux risques qu'il prend.
3. En introduisant de la rationalité dans son intervention, l'agent s'exposera à moins d'erreurs et augmentera ses chances de poser des actions efficaces.
4. Face à une situation donnée, il sera rarement possible de trouver une recette toute faite et par conséquent il faudra souvent faire preuve de créativité.
5. Il est rarement possible de planifier à l'avance toutes les actions d'une entreprise de changement; néanmoins, toutes les actions de l'agent devraient être préparées avant d'être exécutées.
6. Enfin, le diagnostic de l'agent devrait toujours rester ouvert pour s'ajuster aux modifications dans l'environnement.

Questions guides

1. *Quel sera le plan d'action (accompagné d'un échéancier) de l'intervention?*
2. *Disposons-nous de toutes les ressources (humaines - matérielles - financières - scientifiques) pour exécuter le plan d'action?*
3. *En quoi ce plan d'action permet-il de croire qu'on atteindra tous les objectifs fixés au préalable?*
4. *Quels sont les critères d'évaluation qui permettront d'évaluer le succès de l'entreprise de changement?*
5. *Quels moyens seront utilisés pour assurer un contrôle satisfaisant du plan d'action?*

FIGURE 11.1

Exemple d'un tableau-synthèse

Éléments de diagnostic	Objectifs	Échéance	Stratégie	Activités-moyens	Date de réalisation	Résultats	Commentaires
(Force sur laquelle on désire agir)	(Objectif(s) spécifique(s))	(Date prévue pour l'atteinte de l'objectif)	(La stratégie que l'on a adoptée)	(Les moyens choisis pour matérialiser la stratégie)	(Date de réalisation de chaque moyen)	(Impact réel produit)	(Analyse de l'intervention)

FIGURE 11.2

Schéma synthèse
La démarche du changement planifié

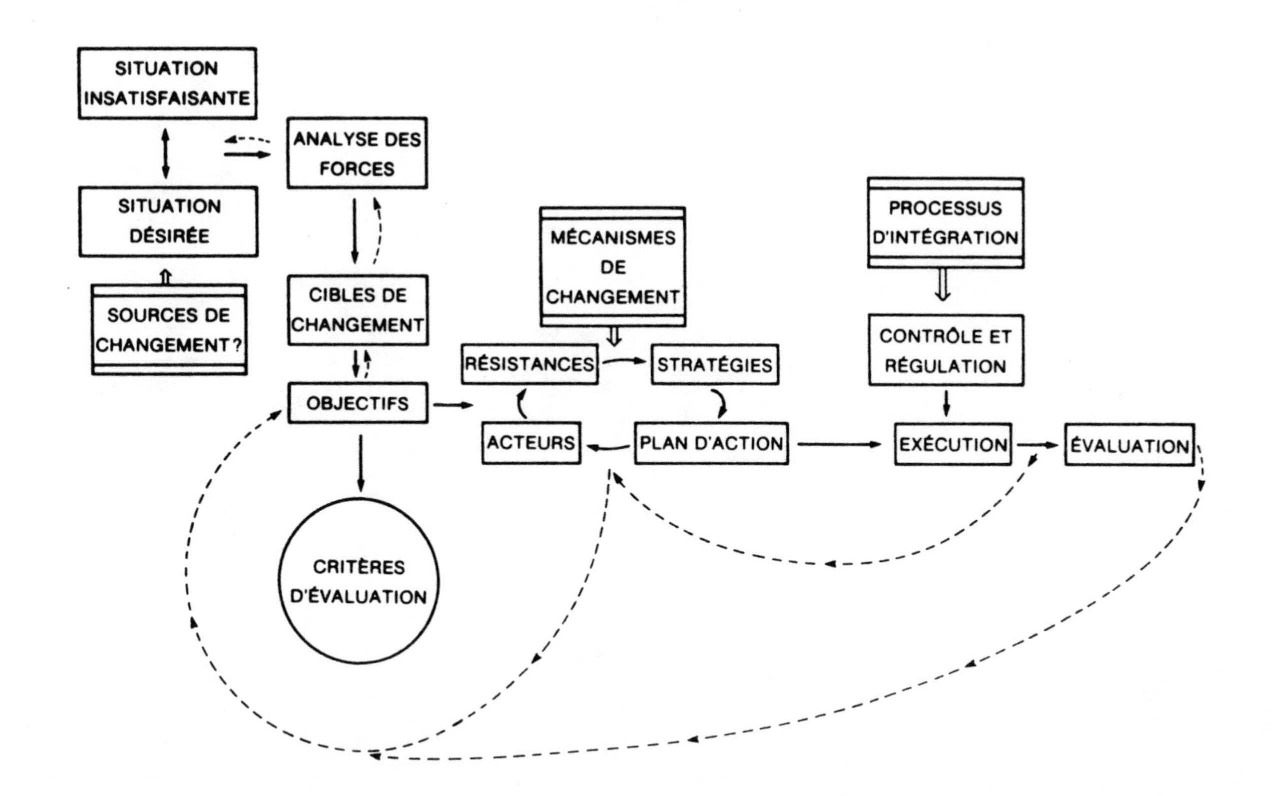

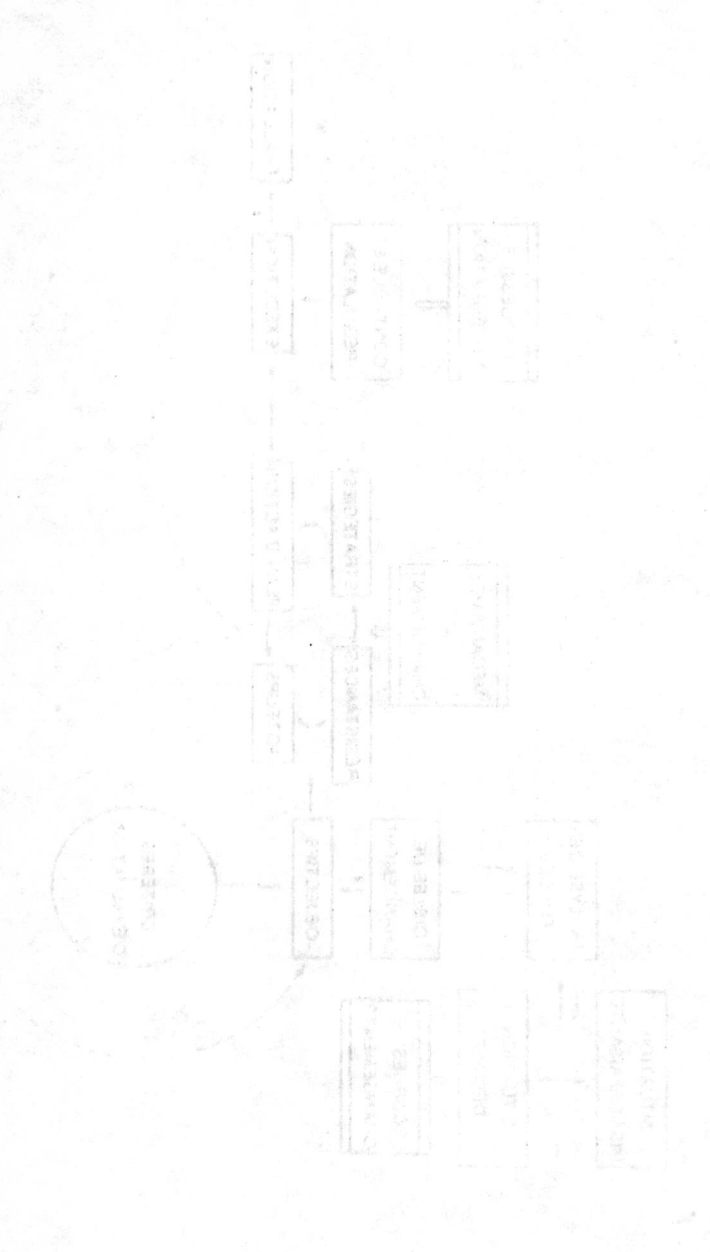

ANNEXE

ESQUISSE D'UNE DÉMARCHE DE PLANIFICATION D'UN CHANGEMENT

Esquisse d'une démarche de planification d'un changement

La démarche qui suit identifie une série d'activités qui doivent habituellement être exécutées quand on prépare une intervention de changement. Bien que ces activités soient présentées selon une séquence ordonnée, il faut noter que cette séquence n'a pas la prétention d'être logique et immuable. En fait, elle résulte davantage d'un effort d'organisation minimal aux plans chronologique et méthodologique. Ainsi la démarche présentée ne l'est qu'à titre suggestif et dans chaque situation il faudra voir à l'adapter aux besoins.

En plus, les diverses activités qui composent la démarche sont le plus souvent en interaction entre elles. Aussi est-il important de souligner que ces activités ne seront à peu près jamais «fermées», car elles devront être modifiées et améliorées, tout au long du cheminement de planification et d'exécution.

I- Les phases d'une intervention de changement

Rappelons qu'une intervention de changement peut habituellement être décrite à partir de quatre phases:

1. Phase de diagnostic (D)
2. Phase de planification (P)
3. Phase d'exécution (E)
4. Phase d'évaluation (EV)

Rappelons également que ces phases ne sont pas nécessairement des étapes car les activités de l'une et l'autre phase peuvent souvent être concurrentes.

II- La démarche de planification d'un changement

(Les lettres entre parenthèses indiquent à quelle phase appartient l'activité concernée).

1. Identifier et décrire la situation insatisfaisante qu'on veut changer (D).
   - Quelles sont les manifestations du problème?
   - Quels sont les effets de cette situation?
   - Qui vit cette insatisfaction?
   - Par qui est-elle perçue comme étant insatisfaisante?
   - Quel est l'historique de cette situation?
2. Décrire la situation qui serait désirée (D).
   - Soyez le plus opérationnel possible.
   - Par qui est-elle désirée?
   - Qui avantagerait-elle?
   - Qui désavantagerait-elle?
3. Sur quelles(s) source(s) de changement peut-on s'appuyer? (D)
4. Quel(s) mécanisme(s) pourrait être mobilisé chez les destinataires pour faciliter l'adoption du changement? (D)
5. Quels sont les différents systèmes et sous-systèmes concernés par le changement envisagé? (D)
6. Appliquer la méthode des champs de force de Lewin (D).
   - Faire la liste des forces restrictives et motrices qui agissent sur la situation.
   - Identifier les forces les plus importantes qui agissent sur la situation.
7. Choisir les forces sur lesquelles on peut agir (D).
8. Choisir les forces sur lesquelles on veut agir (P).
9. Définir les objectifs opérationnels de l'intervention de changement (P).

10. Organiser les objectifs entre eux, de façon à faire ressortir s'ils sont à court terme, à moyen terme ou à long terme (P).

11. Faire un «Brain Storming» pour trouver des moyens d'action pour chacun des objectifs (P).

12. Identifier et décrire les destinataires du changement (D).
    - Préciser si ce sont des destinataires relais ou terminaux.

13. Décrire les relations de pouvoir entre l'agent et les destinataires (D).

14. Établir dans quelle mesure les objectifs de l'agent sont convergents ou divergents par rapport à ceux des destinataires (D).

15. Inventoriser diverses stratégies qui pourraient être utilisables et évaluer la pertinence de chacune (P).

16. Identifier et analyser les résistances au changement qui sont susceptibles d'émerger (D).

17. Définir les positions à prendre ou les choix à faire face à ces résistances (P).

18. Définir la ou les stratégies que l'on veut adopter (P).

19. À partir de l'inventaire des moyens, choisir les moyens d'action qui permettront d'opérationnaliser la stratégie, en tenant compte des variables de la situation qui ont été définies au préalable (résistances, destinataires, relation de pouvoir, structure des buts, etc...) (P).

20. Articuler les moyens d'action dans un plan et y inclure un échéancier (P).

21. Identifier les ressources nécessaires pour exécuter le changement (P).

22. Définir les rôles à exercer dans l'action par l'agent et ses collaborateurs (P).

23. Trouver des mécanismes pour assurer le suivi dans l'implantation du changement (E).

24. Définir des critères et des moyens d'évaluation de l'action de changement (EV).

Bibliographie

ALEXANDRE, Victor. *Les échelles d'attitudes.* Paris, Éditions universitaires, 1971.

ALINSKY, Saul. *Manuel de l'animateur social.* Paris, Éditions du Seuil, 1976.

BECKHARD, R. *Organization Development: strategies and models.* Reading, Massachussets, Addison-Wesley.

BENNIS, W.G., BENNE, K.D., CHIN, R. *The Planning of Change,* New York, Holt, Rinehart and Winston, 1969.

BLAU, Peter. *Exchange and Power in Social Life.* New York, John Wiley and Sons, 1964.

COX, Fred M. et al. *Strategies of Community Organization: a book of readings.* Itaska, Peacock Publisher Inc., 1974.

EDWARDS, A.L. *Techniques of attitudes Scale Construction.* New York: Appleton-Century-Crofts, 1957.

EMERY, F.E. *Systems Thinking.* Bunkay, Suffolk, Penguin Books Ltd, 1969.

FISHBEIN, M. et AJZEN, I. *Belief, Attitude, Intention and Behavior.* Reading, Mass: Addison-Wesley, 1975.

FRENCH, W.L., BELL, C.H. *Organization Development.* New Jersey, Prentice-Hall Inc. 1973.

GRAND'MAISON, Jacques. *Nouveaux modèles sociaux et développement.* Montréal, Hurtubise HMH, 1972.

HELLER, K. MONOHAN, J. *Psychology and Community Change.* Illinois, The Dorsey Press, 1977.

HORNSTEIN, Harvey A. et al. *Social Intervention: a behavioral Science approach.* New York, The Free Press, 1971.

KRETCH, D. CRUTCHFIELD, R.S., BALLACHEY, EL. *Individual in Society,* New York, Mc-Graw-Hill, 1962.

LEMON, N. *Attitudes and their measurement.* New York, Wiley, 1973.

LEWIN, Kurt. *Field Theory in Social Science.* New York, Harper, 1951.

LEWIN, K. *Resolving Social Conflits.* New York, Harper, 1948.

LIPPITT, Gordon et LIPPITT, Ronald. *La pratique de la consultation.* Victoriaville, Éditions NHP, 1978.

MEDARD, François. *Communauté locale et organisation communautaire des États-Unis.* Paris, Armand Colin, 1969.

ROCHER, Guy. *Introduction à la sociologie générale: Tome 3; le changement social.* Montréal, Hurtubise HMH, 1969, pp. 313-562.

ROCHER, Guy. *Talcott Parsons et la sociologie américaine.* Paris, Presses universitaires de France, 1972.

SAINT-ARNAUD, Yves. *Les petits groupes, participation et communication.* Montréal, Les presses de l'Université de Montréal - Les Éditions du CIM, 1978.

SAINT-ARNAUD, Yves. *La personne humaine.* Montréal, Les Éditions de l'Homme, 1974.

SHAW, M.E. et WRIGHT, J.M. *Scales for the Measurement of Attitudes.* New York, McGraw-Hill, 1967.

TESSIER, Roger et TELLIER, Yvan. *Changement planifié et développement des organisations.* EPI - Les Éditions de l'IFG, Montréal, 1973.

TESSIER, Roger et TELLIER, Yvan. *Changement planifié et développement des organisations.* Montréal: EPI - Les Éditions de l'IFG, 1973.

TRIANDIS, H.C. *Attitudes and Attitude Change.* New York, Wiley, 1971.

VON BERTALANFFY, L. *Théorie générale des systèmes.* Paris, Dunod, 1973.

WATSON, G. *Concepts for Social Change.* Washington, H.T.L., 1967.

NOTE. Ajouter 4,00 $ pour les frais d'expédition.
N'oubliez pas d'insérer votre chèque ou mandat dans l'enveloppe. Merci.

AFFRANCHIR
SUFFISAMMENT

Éditions Agence d'ARC inc.

8023, rue Jarry est, Montréal (Québec) H1J 1H6

DIFFUSÉE EN EUROPE ET EN AFRIQUE

BON DE COMMANDE

N° ____________

QUANTITÉ	AUTEUR	TITRE

FACTURER À:

Nom ______________________________

Adresse ______________________________

Ville ______________________________

Province ______________________________

Code postal ______________ Tél. ______________

EXPÉDIER À (si différent de facturer à):

Nom ______________________________

Adresse ______________________________

Ville ______________________________

Province ______________________________

Code postal ______________ Tél. ______________

ÉDITIONS AGENCE D'ARC INC.
L'ÉDITEUR DES PME
8023, RUE JARRY EST, MONTRÉAL (QUÉBEC) H1J 1H6 - (514) 493-3958
TÉLÉCOPIEUR: (514) 355-7473

DATE: SIGNATURE AUTORISÉE: FONCTION:

Achevé d'imprimer
en janvier 1990 sur les presses
des Ateliers Graphiques Marc Veilleux Inc.
Cap-Saint-Ignace, Qué.